14 唐代
西元618～906年

〔注音本〕

全新 吳姐姐講歷史故事

吳涵碧◎著

目錄

【第311篇】千古清平調。

李白這一位天才橫溢、英氣勃勃的大詩人，被玄宗皇帝所賞識。來到宮中寫了三首清平調，用國色天香，稱頌楊貴妃的美艷，玄宗看了高興得不得了……

不但玄宗開心，楊貴妃更是心花怒放。楊貴妃對自己的美，具有絕對的自信，她也早聽膩了旁人用陳腔濫調歌頌她的美，卻從來沒有一個人講得像李白一般動聽。

『雲想衣裳花想容……會向瑤臺月下逢。』楊貴妃一遍又一遍咀嚼，『看看窗外的芍藥（即牡丹花）就會想起貴妃我的容貌，當然只有在仙女所居的瑤臺才有我這樣的美人兒。』

在旁邊的宦官高力士眼看楊貴妃如此陶醉，大爲不悅。高力士有什麼好生氣的？

事情是這樣的，唐朝在開國初年，高祖、太宗等對太監向來不加以庇護。到了唐玄宗時代，成爲宦官權勢由弱轉強的關鍵時期。唐玄宗曾經說：『力士當上，我寢乃安。』意思是說，高力士在當班，我睡覺睡得才安心。

因爲玄宗如此寵信高力士，當時李林甫、楊國忠、安祿山對他都十分巴結。唐肅宗在東宮當太子時，尊稱他爲兄，其他王公則呼爲翁。我們的

雲想衣裳花想容
春風拂檻露華濃
若非群玉山頭見
會向瑤臺月下逢
一枝紅豔露凝
雲雨巫山枉斷
名花傾國兩

大詩人李白狂放不羈，是標準的性情中人，那兒會去拍高力士的馬屁呢？所以高力士心中早就對李白不滿意。

話說李白寫清平調的那天更叫高力士發火。玄宗在金鑾殿召見，李白醉醺醺地被拉來，連走路都走不穩，用水澆了面，才稍微清醒一些。唐玄宗不但不惱李白酒氣沖天，反而親自爲他調羹，又忙吩咐御膳房做菜。

唐玄宗如此寵李白，已經叫高力士不是滋味，更叫他發火的是有一日，李白醉了，上床靠下，也許是怕腳下的黃泥巴沾污了殿上如茵的綺席，他幽幽地睜開眼，剛好看見高力士杵在那兒，隨口便呼：『哪，替我脫下。』

老實說，叫一個太監小黃門脫個靴子也不算什麼，可是如今的高力士地位不一樣，在皇帝面前雖然鞠躬哈腰，不脫奴才本色，離開了玄宗，腰板兒一挺，口蜜腹劍的李林甫都不敢得罪他。李白在朝廷上這麼一吼，簡直把高力士的顏面都丟光了，他怒火直沖腦門，卻又不能不來脫鞋。

於是，高力士忍著氣，憋著李白的臭腳味兒，爲他脫下赤皮履，換上一雙軟鞋。從此，高力士對李白恨之入骨，總想找機會報復。

高力士冷冷一笑，對楊貴妃道：『這第二段，借問漢宮誰得似？可憐飛燕倚新粧。李白豈可用飛燕比貴妃，不是侮辱貴妃嗎？』

楊貴妃聽了一楞。趙飛燕是漢朝有名的瘦美人，貴妃是唐朝有名的肥美人，後代形容美女體態不一，各有千秋稱爲『環肥燕瘦』（楊貴妃名楊玉環）。李白用飛燕形容她，而且說飛燕還得倚靠新粧，她正在開心自己把飛燕比了下去，高力士這一提醒，倒叫貴妃大爲緊張。

漢成帝爲寵趙飛燕，弄得民不聊生，再加上飛燕品德不好，人們稱之爲禍水。楊貴妃更是窮奢極欲，妖裏妖氣迷惑玄宗，但她可不以爲自己是如此形象。

關於趙飛燕的故事在本書前面已經講過。歷史是連續的，中國人又最愛用歷史典故，記得這一段故事的讀者，讀到高力士挑撥離間，馬上就可知用心何在，而能發出會心一笑。

高力士這著毒計奏效，從此唐玄宗每次要任命李白爲官，楊貴妃就出面阻撓。李白最後只有離開京師，繼續流浪生涯。

當然李白對在長安這一段日子仍然十分懷念的。據傳說，他有一次在華山遊玩，騎驢過境華陰縣，縣令認爲他不下驢過境是大不敬，要治他的罪，李白瀟灑地寫上供狀『曾令龍巾拭吐，御手調羹，貴妃捧硯，力士脫靴，天子門前，尚容走馬，華陰縣裏，不得騎驢？』縣令一看，大爲恐慌，李白大手一揮，揚長而去。

李白離開京師以後，從四十四歲以後十年，窮困潦倒，漫無定跡。『萬里無主人，一身獨爲客』〈淮南臥病書懷〉，想起家中的小女兒，十分的難過，寫下『何年是歸日，雨淚下孤舟』的詩句。

天寶十四年，安禄山造反。第二年，唐玄宗避難入蜀，永王李璘是唐玄宗第十六個兒子，他也想做皇帝。擅自帶兵東下，並且請孔巢父、李白等幾位幫他的忙，結果永王起兵一年就失敗了，幫忙的人都處了死刑，唯有李白，因爲郭子儀幫忙說情才免一死。李白以前救過郭子儀，郭子儀如今是平安史之亂的名將，說話有份量，李白才得以改爲流放夜郎（今貴州省西部）。

當李白走到巫山，剛好肅宗大赦放歸，心情輕鬆，寫下了『朝辭白帝彩雲間，千里江陵一日還；兩岸猿聲啼不住，輕舟已過萬重山』的名詩。回來不久，死於當塗。有人說他是捉月而死，大概人們認爲如此浪漫的死法才像謫仙詩人，其實這種說法沒有根據。

李白的〈將進酒〉中有云：『君不見黃河之水天上來，奔流到海不復回。』李白的詩就像黃河之水，滾滾滔滔。他想像力豐富，情感熱烈，他的詩是中國文化的瑰寶，也是我們每一個中國人的光榮！

閱讀心得

【第312篇】杜甫名落孫山。

介紹了謫仙詩人李白後，讓我們再看看與李白齊名的大詩人——詩聖杜甫。

杜甫比李白小十一歲，他生於唐玄宗先天元年，湖北襄陽人。唐朝武后中宗時期有名的詩人杜審言是他的祖父，杜甫的父親杜閒也做過官。不過，到了杜甫幼年，已經家道中落，相當困苦。

杜甫說自己少小多病，貧窮好學。或許，貧困環境容易激勵人們成長，所以杜甫年紀很小就非常懂事，有一點『少年老成』的味道。他七歲作詩，九歲能寫一手好書法，十四、五歲便能與當時文人相酬答。

開元二十四年，杜甫赴京城考試，他一向非常用功，大家也都誇獎他的詩作得好，此番應試可說是胸有成竹。

不料，放榜之時，杜甫竟然名落孫山，他呆立在榜前，簡直不敢相信這個事實，失望極了。爲了排遣鬱悶，前往山東山西河南一帶遊山玩水，就在這個時候，認識了李白，成爲很要好的朋友，一點也沒有文人相輕的習性。

天寶十三年，杜甫上了三篇賦給唐玄宗。玄宗認爲他才學不凡，把他召來考文章，讓他擔任京兆府的兵曹參軍一官。仍然非常貧窮。

這個時刻，剛好是唐玄宗志得意滿，開始寵信楊貴妃，楊國忠勢如中天的當兒。楊家大小奢侈享受，這一切額外的開支都攤派到人民身上。杜甫目覩民衆的困苦，君主的荒淫，心裏悲痛極了，寫下了諷刺楊貴妃的〈麗人行〉。

楊貴妃可能正在華清池享受溫泉浴，穿著又輕又暖的袍子，飽啖名貴的山珍海味，可是一般百姓又冷又餓縮成一團。杜甫難過極了，遂有『朱門酒肉臭，路有凍死骨。』的名句。

回到家裏，杜甫發現妻子哭得好傷心，原來他們的小兒子因爲營養不良，活活地餓死了。杜甫望著兒子小小的屍體，不敢相信這個事實，他在〈奉先詠懷〉中寫著：『入門聞號啕，幼子飢已卒……所愧爲人父，無食致夭折。』可以想見杜甫爲無力養活幼子的悲痛！

唐玄宗的奢華、楊國忠的顢頇，終於造成了安史之亂。偏偏楊國忠又不相信守潼關的哥舒翰，硬逼著他開關迎戰，結果，潼關失守，玄宗逃難，楊貴妃在馬嵬驛被逼而死。

杜甫眼看著天寶年間的太平盛世，成爲眼前的天翻地覆，國破家亡，生離死別，滿眼盡是一堆堆的白骨。他自己痛苦，也爲成千成萬受苦的人民而悲哀。他用敏銳的觀察以及深厚的同情心，記載了當時兵荒馬亂的情景。

『車轔轔，馬蕭蕭，行人弓箭各在腰，爺娘妻子走相送，塵埃不見咸陽橋，牽衣頓足攔道哭，哭聲直上干雲霄……』（〈兵車行〉）

這是描寫安史之亂前人民苦於戰役的哀痛，意思是說車聲轔轔地響著，馬兒蕭蕭地鳴著，出發征戍的人們把弓箭綁在腰邊，他們的爺娘妻子都趕來送別，塵埃飛揚蒙住了偌大的咸陽橋。他們扯著出征人的衣服，跺著腳，攔在道上哭泣，那種悲哀的哭聲直上雲霄……。

『戍鼓斷人行，邊秋一雁聲；露從今夜白，月是故鄉明。有弟皆分散，無家問死生；寄書常不達，況乃未休兵。』（〈月夜憶舍弟〉）這是描寫戰火之中，親人分散的失落感：邊地防軍的鼓聲中，四野已無行人，只有孤雁發出哀哀長鳴。從今夜開始，進入白露時節，此時正是故鄉月色最明的時候。我的弟兄們都因爲戰事分散了，生死未卜，寄去的信總不能到達，況且此時戰事未了。

此外，〈哀王孫〉、〈述懷〉、〈羌村〉等都像一面鏡子把安史之亂情景反映出來。當時的人讀了，固然覺得是己身的寫照，我們今天讀杜甫的詩，仍然可以感受到戰爭的恐怖，憤恨當時朝廷沒有憂患意識，造成這麼大的亂子，害得人民如此痛苦。

杜甫雖然名落孫山，際遇不佳，他可沒走上偏激路線，他還是忠君，還是愛國。因此，在安史之亂初起之時，安祿山進兵潼關之際，急著把家人送到了鄜州，自己又趕回長安，他非要共赴國難，否則心裏會不安。

不料，杜甫剛回到長安，安祿山佔領了長安，他插翅難飛，心懷幽悶。

轉眼之間，春暖花開，可是杜甫那有心情觀賞花朵呢，大家都會背的〈春望〉就是這段時間寫的：

『國破山河在，城春草木深；感時花濺淚，恨別鳥驚心。烽火連三月，家書抵萬金；白頭搔更短，渾欲不勝簪。』（花白的頭髮愈搔愈短，快要插不上髮簪了。）

一直到了夏天，杜甫才打扮成一個乞丐模樣，逃出了長安，到達了肅宗即位的靈武地方。肅宗見他如此忠心，拜他爲左拾遺。拜是任官的意思，左拾遺即爲諫官，就是天子言行有什麼不當，拾遺可以出面勸阻。

杜甫名落孫山，可是他不氣餒，更加用功，他說『讀書破萬卷，下筆如有神』。因爲他的詩記載了唐朝安史之亂前後的歷史，人們譽之爲詩史。主考官不看重杜甫的文才，可是我們後代人卻都在歌詠背誦杜甫偉大的詩篇。被摒棄在聯考門外的青少年，振作起來，學學杜甫！

閱讀心得

【第313篇】

安得廣廈千萬間。

杜甫少有才學，可是考場失意。安史之亂，肅宗在靈武即位，他秉著一腔熱血，從長安逃到靈武。肅宗見到這位白髮蒼蒼、未老先衰的詩人，對他的忠貞十分欣慰，授他爲左拾遺。從安史之亂，到他入蜀的四五年間，個人的流離轉徙，妻兒飢餓，加上目覩長安之殘破、戰爭之可怕，寫下了許多詩篇，被譽爲詩史。

杜甫剛到靈武不久，就出了一件事。當時的宰相房琯有位門客，拿了紅包，唐肅宗把房琯免了職。杜甫立刻上疏言『罪細，不宜免大臣』，小小的罪過不該罷免宰相。

這句話把肅宗惹火了，傳令三司（尚書刑部、御史臺、大理寺）聯合調查杜甫。

幸虧這時宰相張鎬出來打圓場，講了許多好話，並且向肅宗求情：『假使把杜甫抵罪，從此沒有臣子敢向皇帝諫諍，這等於是陛下自絕言路。』肅宗這才放過杜甫。把房琯改貶爲豳州刺史，貶杜甫爲華州司功。

後來，肅宗准許杜甫回鄜州探望家人，那時兵亂未平，到處鬧饑荒，他有幾個兒女都餓死了。戰火之中，家人團聚，眞有說不出的百感交集。

在返家的旅途之中，來到石壕村，杜甫見到一幕拉伕的悲劇，官府拉

人當伕，竟然逮到一位抱著孫兒的老太太，啼笑皆非。老婆婆三個兒子都死了，杜甫感慨之下，寫了〈石壕吏〉的名詩，敘述人民在戰爭中的慘痛。

回到鄜州，家人恍如隔世。妻子希望他不要再離開了，可是杜甫是請假返鄉的，而且男子漢大丈夫在國家危難時，總該多出一些力。所以，杜甫又回到華州。

華州卻在鬧旱災，酷熱難熬，他只有棄官到同谷。他本來以爲同谷情況會比較好，不料也在鬧旱災。杜甫又生了瘧疾，靠樹皮、草根過活，簡直糟糕得一塌糊塗。

同谷住不下去了，杜甫不得已，再捲舖蓋上路，他想起老朋友裴冕在做劍南西川節度使。於是，帶著家小，冒著十二月的風雪前往四川，到達成都以後，才稍微安定下來。

杜甫的遭遇一直十分坎坷，但是他始終崇拜聖賢，遵守禮法，忠君愛國，再窮、再苦，他都不失意。而且最爲難能可貴的是杜甫有一顆同情心，他不是自顧自的發牢騷，而是從心底關懷每一位受苦受難的同胞，眞正做到『老吾老以及人之老，幼吾幼以及人之幼』。

杜甫最有名的〈茅屋爲秋風所破歌〉最足以表現他的偉大情操。在四川時，有一天，他的茅草屋的屋頂被風吹掉了，黑漆漆之中，又冷、又餓，又有說不出的恐怖與悽涼，杜甫的身上被雨淋得濕透了。他在如此倒楣的狀況下，想的竟然是：

『安得廣廈千萬間，大庇天下寒士俱歡顏，風雨不動安如山，嗚呼，何時眼前突兀見此屋，吾廬獨破受凍死亦足。』

意思是說，我怎樣能夠得到千萬間廣闊的大廈，讓天下寒士都能歡顏地一笑，在大風大雨的日子裏能夠安穩如山。嗚呼，要是那一天，眼前突兀見到這些房子，那我杜甫這棟破廬就是殘破，讓我受凍凍死都心甘情願。

這是何等偉大的胸襟啊，杜甫『滅米散同舟，路難思共濟』的情懷，太叫人感動了。自己餓成那副樣子，還時時記掛著窮人，他傻得可愛，是儒家思想的代表，因此我們後人尊稱他爲『詩聖』。

後來，劍南西川節度使換了嚴武，嚴武的父親嚴挺之與杜甫爲舊交，嚴武遂上表推薦杜甫爲參謀檢校工部員外郎。因爲杜甫做了這個官，所以後人稱他爲杜工部。

嚴武傲慢無禮，窮奢極慾，脾氣極壞，動不動就想殺人。不過，他對杜甫倒還不錯，時常送一些酒菜給杜甫打牙祭。可是，有一天，嚴武也要動手殺杜甫了。

事情是這樣的，嚴武是個粗人，當地人民都怕他，杜甫嘴上不說，心裏頭當然看不起這種粗鄙的武夫。

杜甫有次喝醉了酒，爬上嚴武的床，酒後吐眞言，瞪大了眼睛對嚴武道：『嚴挺之竟然有這種兒子……』

嚴武氣壞了，當場沒有發作，暗中卻懷恨在心。有一回，他就叫部下在衙門口集合，準備去殺杜甫。奇怪的是，他一出門，帽子被勾在門簾上。

嚴武回轉來，把帽子整理好，一跨出門，帽子又被掛在門簾上。嚴武氣炸了，摘下帽子，咕嚕咕嚕罵個不停。第三回出發，帽子竟然又被纏住了。

這時，嚴武的部下知道他要殺杜甫，趕著去通報老夫人。嚴武的母親趕來搭救，杜甫才免於一死。

嚴武在兩年後去世，成都掀起一場大亂，杜甫只好往來梓州之間避亂。大曆五年，杜甫五十九歲，他到耒陽去，忽然河水暴漲，他被洪水所困，回不了家。整整十天沒吃一點東西。

後來，縣令派了一條小船來救杜甫，好好款待他一頓。杜甫十日未進食，餓得發昏，狼吞虎嚥，吃了許多牛肉，又喝了不少白酒，結果當時暴卒。其實，多日不食，消化器官脆弱不堪，應該熱一點米粥進補，也不至於撐死了。

韓愈曾說『李杜文章在，光芒萬丈長』，眞是一點也不錯。杜甫不但詩寫得好，他的人格更受到千秋萬世的景仰。

閱讀心得

【第314篇】高力士修寶壽寺。

在唐朝的政治史中，藩鎮與宦官是被重視的兩個大問題，尤其是宦官，毀壞了唐朝的根部。從這篇起，我們講幾個宦官的故事：

唐玄宗在位期間，是宦官的權勢由弱轉強的關鍵時期。在前面〈千古清平調〉之中，我們說到李白得罪了宦官高力士，以至於一輩子做不到官。現在就先講這位唐玄宗面前一等一的大紅人——高力士。

高力士，本姓馮，在小時候與同伴金剛二人一塊到宮裏當宦官。當時的武則天看高力士聰明伶俐，巧點過人，派他擔任一些打雜的工作。後來，力士犯了一些小錯，被武則天趕出皇宮，有一個叫高延福的中人（宦官）收養了他，因此改名爲高力士。

高延福是出自武則天姪兒武三思之家，所以高力士也跟著常常在武三思家打轉兒，得以有機會再度入宮，擔任傳詔令的工作。

當唐玄宗還沒有當皇帝的時候，高力士就傾力侍奉他，巴結他。因此玄宗削平韋后及太平公主之亂，坐穩皇位以後，拔擢高力士爲內給事，宦官權勢開始變大。

由於玄宗信任宦官，往往賜宦官爲三品將軍（唐朝的宰相是三品官，所以三品官是很高的官位）。當宦官奉了皇上的使命到地方州縣去時，官吏

寶壽寺

們都爭先恐後地巴結，偷偷地塞紅包，最小的紅包也不能少於千緡。從此以後，京師附近的田園大半被宦官買去了，他們有錢嘛。

但是，開元之治初期，姚崇、宋璟賢相在位，尚不致依附宦官。其中有一位王毛仲是玄宗做皇子時的舊部下，根本不把宦官放在眼裏。尤其對一些低級的小宦官，簡直不把他們當人看，開口就罵，動手便打，好像對待僮僕一般。

宦官把王毛仲恨之入骨，可惜找不到報復的機會。因爲王毛仲這個高麗人，被封爲『唐元功臣』，他奉公正直，不避權貴，掌管皇帝衛隊，大家都怕他。

可是，還是被高力士逮住了報仇機會。

王毛仲的妻子生下了一個小男孩，唐玄宗很開心，連忙命高力士帶了大批酒食金帛去探望，而且封小寶寶爲五品官。在唐朝，皇親國戚生下小孩即賜官是常有之事。

當高力士回宮，唐玄宗連忙問長問短，他心裏想，王毛仲得此賞賜，一定眉開眼笑，感激皇恩浩蕩，順口問道：『毛仲一定很高興囉。』

高力士長長嘆了一口氣道：『毛仲抱著小孩對臣說：我這個兒子那裏不配作三品官？』

唐玄宗一聽此言，勃然大怒：『這個賊人，當初誅韋后時，對朕不夠忠心，我是不好意思點破，現在竟然說出這種話！』

高力士一看，唐玄宗中計了，乘機搧風點火，力言王毛仲軍力太強，不早除之，必生大患。最後王毛仲終於被宦官讒言所害死，王毛仲死後，宦官的力量又往前邁進一大步。

由於四方要給皇帝看的奏章，都要先經過高力士，才能轉到唐玄宗的手上，高力士因此十分神氣，有些小事他就自作主張了。唐玄宗曾經對人說：『力士在旁邊值夜，我睡覺才睡得安心。』玄宗本人又極少外出，朝廷臣子爲著希望高力士在皇帝面前多多吹噓，無不盡量逢迎。李林甫、楊國忠、安禄山，對高力士都得巴結。

開元初年，呂玄晤擔任吏京師，爲著討好高力士，就把自己漂亮的妹妹嫁給高力士。高力士這個宦官娶了如此如花美眷，大喜之下，幫忙呂玄晤升爲少卿、刺史。

後來，呂玄晤的妻子去世了，葬在城東。大家都知道他與高力士的關係，紛紛贈送賻儀，出殯的當天，送葬的車子，從呂家大門一直排到墓地。

天寶初年，唐玄宗又加力士爲冠軍大將軍，封渤海郡公，他的資產豐厚，可不是一般王侯所能比擬。唐朝有錢人家，常在自己家裏蓋一個廟拜拜，高力士便在來庭坊建了一座宏偉的寶壽佛寺。

寶壽佛寺落成啓用當天，熱鬧非凡。幾乎滿朝文武都來道賀，而且贈送賀禮。高力士預備了上好的素食招待。

寶壽寺有一口大鐘，文武大臣輪流前去敲鐘，凡是敲一下，表示要送百千。百千是多少呢？根據唐制，一千錢爲一貫，百千即百貫，亦即十萬錢。

有些個善於揣摩高力士心意的，拿起槌頭『噹噹噹』足足敲了二十下，旁人都拍手叫好。就是敲得少的，也敲個十杵左右，太少了，面子不好看。敲一下鐘，十萬錢就飛掉了，大臣們那來這許多錢？當然只有貪污，吏治不良，使得唐朝漸漸走上了衰路。

不但大臣們竭力籠絡高力士，唐肅宗爲皇子時，呼他爲二兄，諸王公尊稱他爲『阿翁』，可知顯赫一斑。

當太子瑛被玄宗廢去時，李林甫與武惠妃勾結，大力推介惠妃的兒子壽王爲太子，可是唐玄宗又顧慮肅宗年長，久久不能決定，連飯都吃不下去。高力士小心問道：『是不是菜不好？』

『你是我家老奴，你猜猜看我爲什麼食不下嚥？』

『恐怕是嗣君未定吧？其實推長而立，誰敢爭？』就這樣，肅宗順理成章當上嗣君。宦官一言九鼎，難怪大臣如此看重。

閱讀心得

【第315篇】

李輔國數念珠。

在上篇〈高力士修寶壽寺〉中，我們講到，唐玄宗時代的宦官其氣焰遠非唐初可比。然而玄宗時代的宦官雖然品位提高，還很少干涉朝廷的政治，到了肅宗時代就大不相同了。

前面，〈安史之亂〉篇之中，曾經提到當安祿山攻下了潼關，唐玄宗倉皇之中逃往四川。走在半途，地方父老不肯放行，最後，玄宗決定把太子李亨留下來，宣慰父老。

後來，李亨在靈武即位，是爲唐肅宗，改元爲至德元年。一方面遣使者上表，尊唐玄宗爲太上皇。

據說，攔道的父老是宦官李輔國預先佈置的，其目的就是讓太子早日成爲皇帝。這個功勞可眞不小。

李輔國爲何許人也？李輔國本名爲靜忠，是養馬場中的小兒。很小的時候就當了小宦官，他的容貌相當醜陋，由於稍微懂一點文字及計算，高力士就派他擔任馬場中管理的工作。

天寶年間，由於李輔國精通畜牧之事，被推薦入東宮伺候太子。安史之亂，李輔國在逃難途中想到這條妙計。肅宗即位以後，立刻拔擢他爲太子家令，元帥府行軍司馬，把他視爲心腹。凡是四方奏事，御前符印軍號，

統統交給他掌管。

李輔國長年食素，不吃葷血食物。常常作和尚打扮，手裏拿著一串念珠，一面走路，一面數著念珠，喃喃念著『阿彌陀佛』，裝著慈悲的模樣。其實，才不是這回事。

到鳳翔之後，授太子詹事，改名爲輔國。當安史之亂平定，唐肅宗回到京師，他一口氣兼了殿中監、閑廄（馬場）、五坊、宮苑、營田、總監等使，又兼隴右羣牧、京畿鑄錢……等使，更專掌皇帝禁兵，常居禁中。所有皇帝的制敕都要經過李輔國的押署，然後實行。

甚且，李輔國自個兒就在大明宮的銀臺門決定天下大事，事無大小，李輔國開了口便等於皇上的制敕。他決定之後，再向肅宗報告一聲便是。

另外，李輔國又設了幾十個察事廳子，就是所謂密探，到處打聽消息，官吏犯了任何小過都逃不出他的耳目。地方與中央司法機關的重大案件，都由李輔國隨意處分，而且全是假傳聖旨，反正不會有人找肅宗對質。

李輔國每次外出，總有數百甲士衛從，一般小宦官都尊稱他為五郎。宰相李揆，出身山東望族，見了李輔國也乖乖喊一聲五父，而且恭敬地執弟子禮。

太上皇唐玄宗從四川回到京城之後，居住在興慶宮中。玄宗仍不改當年興致，喜歡召伶官奏樂，與持盈公主時有往來。

由於李輔國出身微賤，唐玄宗左右的人都不怎麼看得起他，特別是老宦官高力士更不把李輔國放在眼裏。李輔國擔心這樣下去，他的地位會不穩。

於是，李輔國以持盈公主接待客人的理由，向肅宗奏稱『興慶宮內有陰謀』，假造命令把玄宗軟禁在西內，又把持盈公主囚於玉眞觀之中，高力士則被流放到貴州。

到了至德二年，李輔國拜兵部尚書，比以前更加驕恣。他貪心不足，竟然要求做宰相。

此時唐肅宗對李輔國的跋扈已有一些反感，卻又不敢得罪他，只好推托『以公的勳業才情，還有什麼不能做的，只是不孚朝廷名望，如何是好？』

李輔國碰了一個釘子，跑去暗示僕射裴冕上奏章推薦。肅宗祕密對宰相蕭華道：『輔國想要當宰相，聽說你們要聯名推薦他，有這回事嗎？』

蕭華沒有回答，跑去問裴冕，裴冕斬釘截鐵地道：『沒有的事，我的手臂可能斷，他的宰相可是做不到。』

蕭華回覆肅宗，肅宗很開心，笑著誇獎：『裴冕這個人可堪大用。』

肅宗利用宰相蕭華、僕射裴冕拒絕了李輔國當宰相的要求，李輔國氣壞了，暗暗懷恨在心。

寶應元年四月，肅宗病倒在床，而且病得不輕，宰相大臣都見不到皇帝的面。李輔國趁此機會誣奏蕭華專權，請求予以罷黜，肅宗不許。

李輔國一而再、再而三的請求，肅宗煩極，終於罷蕭華為禮部尚書。等到肅宗歸天，蕭華竟被斥逐，李輔國還是取得相位。他是唐代唯一當了宰相的宦官。

肅宗去世後，代宗即位，李輔國更加狂妄。他上奏代宗道：『大家（大家是皇宮中的人對皇帝之稱呼）只要在皇宮裏坐著，外事聽老奴處置。』這句話的意思是說，皇帝只有在裏頭涼快，外邊的事由老奴我一手包辦。這究竟是誰在當皇帝？代宗對他出言不遜，十分不悅，但是李輔國手握禁軍，不想惹火了他，表面上仍尊爲尚父。

此時有一個宦官程元振，有意奪李輔國之權。密言代宗，請代宗對李輔國稍加制裁。代宗改用程元振爲元帥行軍司馬，大家都慶幸不已。李輔國這才有點害怕，茫然失據，不知所措。不久，又免除中書令（中書令是唐朝的宰相），進封博陸王。他要入中書修謝表，守門的阻止他：『尚父罷相，不能再入此門。』李輔國氣憤哽咽道：『老奴死罪，事皇上不了，請於地下事（侍奉）先帝。』

向來老宦官與新皇帝總是不合的。最後，代宗派了一個刺客在半夜潛入李輔國宅，把他殺了，又砍了他的腦袋及一隻手臂而去。

閱讀心得

【第316篇】

魚朝恩陷害郭子儀。

在上一篇〈李輔國數念珠〉之中，我們說到，唐肅宗信任宦官李輔國。肅宗去世之後，代宗即位，不滿意李輔國的跋扈。據說，代宗派了人，偷偷溜入李宅，砍斷了李輔國的腦袋與手臂。

李輔國去世了，宦官的氣焰卻沒有因而消滅。唐代宗又信任程元振、魚朝恩等宦官。其中，魚朝恩是歷史上有名的奸險宦官。

魚朝恩在天寶年間入宮擔任小黃門（黃門是宦官別名，因爲東漢黃門令都是由宦官擔任）。他爲人陰險狡詐，很得君王喜愛。肅宗年間，魚朝恩任觀軍容宣慰處置使。這個官名的意思是：表面上是宣慰軍隊，其實是代表皇帝監視軍隊，『使』是臨時派遣的職務也。

原來當時正是安史之亂，唐肅宗以郭子儀、李光弼都是元勳，誰當誰的元帥都不好，乾脆要魚朝恩負起這個責任。

堂堂大將軍竟受宦官的統治，豈不太可笑？這是有道理的。因爲中國古代皇帝，生活天地狹小，除了上朝之外，很少有與外界接觸的機會，宮中除了妃嬪宮女只有宦官。久而久之，自然產生一種感情，何況，唐朝從玄武門之變以後，時有爭奪皇位之爭。做君王的，對自己的兒子不敢信任，對手上握有軍隊的臣子不敢信任，天下沒有宦官當皇帝的。因此，代宗派

魚朝恩去監軍，並不奇怪。

安史之亂一仗打下來，郭子儀有定天下之大功績。魚朝恩心中頗不是滋味，在肅宗面前不斷詆毀郭子儀，唐肅宗沒有採納魚朝恩的意見。可是最後還是解除郭子儀的兵權。

到了代宗時代，廣德元年，代宗爲避亂吐蕃，逃到陝西，魚朝恩正在陝西帶神策軍。以後，魚朝恩以神策軍入宮中，成爲天子的禁軍。

因爲代宗信任魚朝恩，在永泰年間，一口氣封了他國子監（相當今天國立大學校長），兼鴻臚、禮賓、內飛龍、閑廄使，封鄭國公。魚朝恩爲著表示自己才兼文武，不但會帶兵，還能談學術，平時總愛找一些輕浮的年輕人，聚集在門下，講五經大義，作文章，儼然飽學之士的模樣。

大曆二年，魚朝恩把皇帝賜給他的別墅改建為章敬寺，以供給章敬太后冥福之用。於是魚朝恩以此為藉口，窮壯極麗，大事整修。他把整個城中的木材搬來都不夠使用，竟然把曲江諸館及進清宮給拆了用為現成的棟樑，耗費金錢達數億以上。

衛州進士高郢上書皇帝：『先太后的聖德，不必以一個寺廟來增加她的光輝，為著國家長遠著想，實在應以老百姓為基本，捨人就寺，恐怕不是一件福事。』當然這種奏章，都被魚朝恩壓了下來。

魚朝恩最嫉恨的人就是郭子儀，可是無論他如何毀謗郭子儀，都傷害不了他的名望。郭子儀的涵養功夫更是一等一，他知道代宗信任宦官，為著國家大局著想，只有忍辱負重，勉強與魚朝恩合作。

魚朝恩非要把郭子儀激怒不可，他居然派了人去挖郭子儀的祖墳。在中國人眼中，挖祖墳是不共戴天之仇，可是，郭子儀還是硬把這口氣忍了下來，還爲魚朝恩辯解。魚朝恩很得意，認爲這是郭子儀低頭，更加狂妄囂張。

因爲大家都捧著魚朝恩，使他更爲跋扈，在與皇上大臣討論軍國政事時，勢傾朝野，高談闊論，對時政任意批評，而且淩侮宰相元載。元載其實是個雄辯滔滔的人才，碰到魚朝恩，也只有不開口。

神策軍都虞候劉希暹想出一個斂財的妙法，在北軍建一個監獄，然後唆使市場上不良少年，隨便找一個罪名誣告富豪之家。把這些富人關入地牢，用嚴刑逼問，榨乾他們的家財一直到逼死爲止，人們稱之爲『入地牢』，卻不敢吭聲。

魚朝恩每次入朝奏事，總是滿臉傲然的神色，非要以他的意見為意見不可。要是朝廷政事那一樣他沒有參與，就立刻拍桌子大罵：『天下事有不由我的嗎？』

代宗聽說這些事，漸漸對他起了反感。接著又出了一件事，有關魚朝恩的養子魚令徽。宦官沒有生育能力，無親生子女。可是唐代宦官盛行養子制，使宦官的權勢與財富可以藉養子傳遞下去，同時，宦官可以娶妻，以發展其姻親關係。

魚令徽當時年紀很小，為內給使，衣綠（穿綠色官服，唐規定，六品服深綠，七品服淺綠，古代官服有一定顏色，不能亂穿）。有一天，與同列吵架，回家告狀。

第二天，魚朝恩上朝，上奏代宗：『我兒子官位卑下，爲同列欺凌，請上賜紫衣（貞觀四年規定，三品以上著紫）。』

唐代宗默不作聲。

此時，已有魚朝恩安排的官吏捧了一件紫色官服來，魚令徽換上新官服，跪地拜謝。魚朝恩這一著，簡直不把皇上放在眼中。唐代宗氣在心裏，表面還是苦笑道：『你兒已服紫衣，應該稱心如意了。』

回到宮中，代宗愈想愈窩囊。宰相元載乘機上奏，告以魚朝恩不軌，天下共憤，遂定下除魚朝恩之計謀。

在寒食節那天，代宗在禁中宴請權貴近幸。宴罷，代宗把魚朝恩留下，責備他懷有異圖。朝恩大聲辯白，態度荒悖傲慢。於是左右擒而縊之，結束了他的一生。

閱讀心得

【第317篇】郭曖打金枝。

在平劇或地方戲劇之中，『打金枝』是一齣很受歡迎的戲劇，劇情熱鬧有趣。通常戲劇中的故事是虛構的，但打金枝卻是有歷史根據的。

郭曖是唐朝大將郭子儀第六個兒子，娶了唐代宗第四個女兒昇平公主。昇平公主頗爲驕縱，郭曖也是從小被寵愛的小公子，兩人年齡相若，時有爭吵。

有一次，這小兩口又因爲細故吵了起來。郭曖火大極了，指著昇平公主的鼻子怒叱：『你有什麼好神氣的，還不是倚靠你父親是天子。告訴你，我父親是看不起天子的位置才不做的！』說著用力一推金枝玉葉的公主。

『嗯，是這樣嗎？』昇平公主氣得話都講不出來。一扭頭，駕著車子就奔回皇宮向父親告狀。

誰知唐代宗聽完昇平公主的哭訴後，非但沒有發脾氣，反而平靜地說：『這件事就不是你能知道的。郭曖說得沒有錯，假使郭子儀眞的要當天子，天下那兒是我們家所有？』

接著，代宗就把昇平公主送了回去。郭子儀聽說這件事，大驚失色。想他爲朝廷立下汗馬功勞，卻一直韜光養晦，誠惶誠恐，連魚朝恩把祖先的祖墳挖了都勉強忍耐著，爲的就是顧全大局，擔心代宗有誤會，以爲他

功高震主。現在郭曖居然講出這該死的話，還欺負了公主，這還了得？

於是，郭子儀把郭曖五花大綁捆了起來，等待代宗降罪處罰。

沒想到代宗只是輕描淡寫道：『俗話說得好，不癡不聾，不作家翁。兒女閨房之言，何足聽也。』這句話的意思是說，要是不裝癡裝聾，凡事不計較，則不能當一家之主人翁也。

郭子儀這才放了心，可是回家之後，還是狠狠打了郭曖一頓屁股。郭曖也是滿心委屈，因爲他根本當初就不想討個公主進門。

事實上，唐朝人多半不願意娶公主，這是一件很有意思的事。

先談唐朝婦女地位，在唐代，婦女地位很高，與男子差不多。我們心目中古代女子『大門不出』的形象是宋朝理學興起以後的現象。唐朝高祖自稱爲隴西舊族，有胡人血統。大凡遊牧民族，婦女地位都比較高。因爲在塞外大漠之中，婦女必須也要騎馬射箭，才能適應艱困的環境，其次，遊牧民族之中，小孩生長不易，一定要有強壯有力的母親，孩子才能長大成人，更加強了婦女的地位。（例如元朝成吉思汗就是得力於寡母的幹練，這個故事，我們以後再詳細講。）

在開元天寶之際，婦女有喜作男子裝束者，短衫窄袖，穿靴戴帽，便於騎馬，成爲流行風尚。一般女子尚且比較開放，公主當然有過之無不及，與舊日中原保守婦女大不相同。因此，史家曾研究過唐朝公主婚姻頗爲困難。

從魏晉南北朝以來，士族自矜門第之風，一直到唐初不衰，士族自矜於門第，所以特別重視婚姻的對象。社會上認為與皇帝結親家不及與高門士族聯姻。因此，在唐憲宗之前，還沒有公主與士族聯姻的。

在唐憲宗之後，一般士族還是不願意娶公主。在唐宣宗時代，白敏中擔任宰相，鄭顥擢進士第。鄭顥是士族子弟，白敏中上奏以顥娶萬壽公主。結果事情成功了，鄭顥卻恨透了白敏中的多事。

公主議婚，不但士族子弟沒有興趣，一般人也敬鬼神而遠之。例如宣宗時代，王徽考中了進士，宣宗正好頒佈一道命令『於進士中選子弟尚主(匹配公主)』，就是要在進士中挑選一個當駙馬爺。

王徽聽說了這件事，憂形於色，愁眉不展。趕緊跑到宰相劉瑑前面說自己『陳年已高，居常多病』，又老又病，不適合當駙馬爺。宰相劉瑑看他可憐，前去幫他說情，才免了這一門親事。

不但進士不願意娶公主，連方士張果都曾經拒婚公主。方士是古代採奇藥或求神仙，以研究長生不老術來惑人的人。秦始皇曾用方士之言，派童男童女赴蓬萊島求長生不老之藥。

唐玄宗有意把玉眞公主嫁給張果。唐玄宗心裏有這個意思，不過，還沒有正式地開口。

張果知道了，有一天，他對太常少卿蕭華等兩個朋友說：『諺語說得好，娶婦得公主，平地生公府，可怕啊！』（這句話的意思是說，娶了一個公主當媳婦，有事沒事就與衙門扯上關係，太可怕了。）

張果兩個朋友罵他比喻得不倫不類。

過了一會兒，玄宗派人傳詔『玉眞公主欲嫁給先生』。張果微微笑，該來的果然來了。怎麼樣他都不肯接受詔令。

張果的話，充分反映出社會上認爲與公主聯姻是一件可怕的事。在這種觀念之下，唐朝公主想要嫁人就十分困難了，不得不多從大臣子弟中選擇對象，所以郭曖奉命娶了昇平公主。公主大半貌美多金，爲什麼唐朝人如此排斥與公主聯姻？

閱讀心得

【第318篇】

唐朝公主的婚姻。

在〈郭曖打金枝〉之中，我們說到，郭子儀的兒子郭曖娶了代宗的女兒昇平公主。金枝玉葉的昇平公主頗爲驕縱，郭曖甚爲不滿，由此可見唐朝人不願意娶公主爲妻。許多讀者對此頗有興趣，因此，我們再談唐朝公主的婚姻。

唐朝人認爲娶公主是件可怕的事，因此公主選婚困難。不得不多從大臣子弟或者已結爲姻親的家族之中找對象，因爲大臣爲了保全本身之富貴，多半不敢拒絕。當然，一些想攀龍附鳳的士大夫，還是會與公主聯姻的。

唐宣宗時有一個人叫于琮，落拓有大志，可惜運氣不夠好，始終沒有被重用。在大中年代，宣宗下了一道命令，要在士族之中挑選一個人當駙馬爺，一般士族都遠遠避開。駙馬都尉鄭顥勸于琮：『不如應此命。』于琮答應了。

唐宣宗很開心，原本想把永福公主嫁給于琮，想一想，又覺得不適合。宣宗說：『我最近和她一塊進食，她不知爲何不高興，當著朕的面，就把筷子一下給折成兩段。這樣剛烈的性情，恐怕不能做士大夫的妻子了。』

於是，唐宣宗把廣德公主嫁給于琮。廣德公主非常賢淑，遵守法度，

而且侍奉于氏宗親尊卑十分得體，于琮算是運氣不壞。

然而，像廣德公主一樣賢慧的公主不多。一般而言，唐朝公主的品德不佳，使人不敢領教。

例如，唐高祖的女兒永嘉公主嫁給竇奉節，又與壽春郡主的丈夫楊豫要好。唐太宗之女合浦公主下嫁房玄齡的兒子房遺愛，沒有多久，又愛上一個花和尚辯機。肅宗的女兒郜國公主，嫁給蕭升，仍然同時有蕭鼎、韋恪、李萬、李昇等四個情人，名聲糟糕透了。

唐中宗的女兒安樂公主，嫁給武崇訓。後來武崇訓被殺，她一點也不難過，因爲安樂公主早就與武延秀糾纏不清。

由上可知，唐朝公主不守婦道者甚多，唐朝女人本來就比較開放，公主更加不守禮法。公主一方面自己不守婦道，一方面又吃醋心理甚強。唐高祖的女兒宣城公主嫁給裴巽。她聽說裴巽有一個外寵，妒火中燒，派了人把這個女子找到。然後在大廳之上，召集了許多官吏，看她如何叫人把這女子的耳朵、鼻子切掉，又把頭髮剃光。旁邊參觀的人都不忍看下去，也更體會公主的暴虐。

在中國古代，男女不平等。男人擁有幾個妻妾是常有之事，像宣城公主這種妒意，被認爲是不可原諒的。但是她是公主，能奈她何？於是，人們只有對公主敬而遠之。

唐朝公主因爲家教不良，非但經常紅杏出牆，而且不懂得如何與夫家相處，常使得婆家非常不滿意。

唐宣宗曾經再三囑咐萬壽公主要做個好妻子，萬壽公主還是我行我素。

萬壽公主的駙馬鄭顥的弟弟鄭顗得了很危險的重病，宣宗告訴萬壽公主，站在做嫂子的立場，應該去看望一下鄭顗。

過了兩天，宣宗問萬壽公主：『你去看望了沒有？』

『沒有。』萬壽公主隨便應道。

『那你到那兒去了？』

『我在慈恩寺看戲啊！』

唐宣宗聽了，氣得吹鬍子瞪眼睛：『我還怪士大夫不願意與我爲親家，也難怪人家不願意。』

唐宣宗從萬壽公主不願意探視夫弟之病，領悟到士大夫不願意與皇宮結親的道理。其實，比較起來，萬壽公主還算不得犯什麼大過失。

像武則天的女兒太平公主下嫁薛紹，薛紹的哥哥薛顗娶的妻子蕭氏，薛紹的弟弟薛緒娶的成氏，都不合丈母娘武則天之意。

武則天認爲薛紹的兄弟應該把原有的妻子休掉，因爲：『我的女兒怎麼可以與田舍夫的女兒爲妯娌呢？』後來，有人出來打圓場：『蕭氏是蕭瑀的姪孫，國家舊姻。』武則天才沒有堅持。

因爲薛紹娶了太平公主，他兄弟的婚姻差一點就得被拆散，可見得公主對夫家家族之威脅。

當然，凡事不可一概而論，唐朝公主也有賢德的，只是比例不大。此外，還有一個原因使得唐朝人不喜歡娶公主進門。公主身分尊貴，出嫁夫家，舅姑不敢把她看成媳婦，也不敢接受公主的拜禮，反而要向公主下拜。

在中國傳統社會，婆婆虐待媳婦是天經地義的事，所以才有多年媳婦熬成婆的説法。公主不是普通女子，那裏可以隨便受欺負？再加上不肯執媳婦之禮，反要公公婆婆父母下拜，當然一般人不願意與公主打交道。

此外，唐朝公主成親，皇帝賜與奴婢住宅，駙馬成爲公主之附庸，内心之彆扭可想而知。而且，唐朝規定，假使公主先死，駙馬得爲公主服斬衰三年，才可以再娶。

這種種的原因，使得唐朝人對公主敬而遠之，唐朝人也看不起攀龍附鳳與公主打交道的人。有一篇唐人寫的小説書《南柯記》中，講了一個故事：說夢中娶槐安國公主為妻，當了駙馬之後，有享不盡的榮華富貴。夢醒之後，看到一個大螞蟻穴，夢中一切，彷彿都在蟻穴中所發生的。

這個故事諷刺主人翁發生的事在蟻國，表示是個『蟻附』的小人。聽說在今天商場上，許多年輕人熱中追求大老闆的千金，希望能得到岳父的錢財，看來也是一些蟻附的小人，恐怕也不免為人們所訕笑。

閱讀心得

【第319篇】

僕固懷恩的故事。

宦官之害是唐朝晚期政治衰敗一大主因。在前面，我們說到魚朝恩是如何陷害郭子儀，竟然把他的祖墳都挖了出來，可是郭子儀爲了保命保家，忍氣吞聲，依然對朝廷以至忠。上得皇帝的信任，下免讒毀之出口，歷玄宗、肅宗、代宗、德宗四朝，一身繫國家安危達二十餘年。卒於德宗建中二年，享壽八十五歲，歷史上譽爲富貴壽考的代表。但是，有幾人有郭子儀這種克己容人，委曲求全的涵養？譬如說，我們現在要講的僕固懷恩。

僕固懷恩的名字，一看就是胡人。他是鐵勒部落僕骨歌濫拔延的曾孫，因爲以訛傳訛弄錯了，就被人稱爲僕固。在太宗貞觀二十年，鐵勒九姓大首領率部落來投降唐朝，僕固懷恩就是因此而世襲爲金微都督。

僕固懷恩跟從郭子儀南征北討，因爲他善於格鬥，通曉蕃情，而且有統御部下的本事，頗受重用。唐肅宗在靈武即位，僕固懷恩跟著郭子儀赴行在（天子巡幸所在地）。當時，朔方叛亂，僕固懷恩的兒子僕固玢帶領一批人馬擊賊，兵敗而降，後來又自己溜了回來。僕固懷恩氣得當眾教訓兒子一頓，而且把兒子給斬了。將士們都大爲震撼，下次作戰，沒有一個膽敢不奮勇向前的。

唐朝可以平定安史之亂，無可諱言的是得力於回紇的出兵援助。而負

責與回紇聯絡的，乃至最後帶領回紇兵打垮史朝義者，正是僕固懷恩。甚且把女兒嫁給了回紇登里可汗，與可汗有翁婿之親。

因此，當史朝義平定，代宗拜他爲朔方節度使河北副元帥，單于鎮北大都護，加僕射中書令。他的兒子僕固瑒，也拜御史大夫朔方行營節度使。

僕固懷恩爲人沉默寡言，性情剛直，只要他認爲是對的，即使對方是長官，他也要狠狠罵回去。由於勇敢，會打仗，軍中號爲『鬥將』。郭子儀能用他的優點，也能寬容他的缺點。尤其僕固的手下蕃將勁卒，時常不守禮法，郭子儀也每事優容之。

僕固懷恩任朔方節度使之後，與河東節度使辛雲京並肩作戰。當僕固懷恩奉皇帝命令迎送回紇兵回去時，經過河東。辛雲京認爲回紇可汗是僕固懷恩的女婿，他很擔心回紇會兵犯太原。所以緊閉城門，也不準備食物犒賞士卒。僕固懷恩自認為父子二人宣力王室，一舉滅史朝義，恢復燕、趙、韓、魏之地，功高無比，辛雲京竟然用這種態度對待他，忍無可忍，寫了一張表，告了辛雲京一狀。

這時正是宦官當權的時代，代宗派了中使駱奉仙（有的史書記載為駱奉先）到太原，調查實況。辛雲京立刻對駱奉仙大獻殷勤，並且告訴駱奉仙，僕固懷恩與回紇合謀，而且已有造反的跡象。

駱奉仙與僕固懷恩本為舊識，因此他又來到了僕固營中，與僕固懷恩及僕固懷恩的母親一塊兒飲酒。前面在〈郭曖打金枝〉中，我們曾說過，胡人的母親說話是很有份量的。

僕固的母親在筵席中，數次地責備駱奉仙：『你與我兒子約爲兄弟，爲什麼又去親近辛雲京，怎麼這樣反覆無常？』駱奉仙聽了，心中有些不安。

酒酣耳熱之際，僕固懷恩起身跳舞，駱奉仙送他一個纏頭綵。什麼是纏頭綵呢？原來這是唐朝人的一種風俗，在宴會之中，酒後跳舞者，受禮的人要送跳舞者一個用整幅絹帛纏頭的飾品。

僕固懷恩接受了纏頭綵，十分開心，對駱奉仙說：『明天中午，咱們再喝一天。』

駱奉仙有些害怕，堅持要離開，不肯留下過夜，僕固懷恩一向固執，竟然偷偷把駱奉仙的馬留了下來。僕固懷恩的本意是親熱，免得駱奉仙被辛雲京搶過去了。

不料，駱奉仙會錯了意。他對左右說：『一早來，他就責備我，現在又把我的馬給藏了起來，看來今晚要殺掉我了。』於是趁著黑夜翻牆而逃，逃回京裏，誣奏僕固懷恩謀反。僕固懷恩也上奏，請求誅辛雲京。

僕固懷恩自恃功高，十分驕傲，他愈想愈不甘心。自從討賊以來，每一場戰鬥無不全力以赴，僕固懷恩一家之中爲唐朝而死者有四十六人，女兒爲了和蕃又嫁到塞外絕域，他本人結納回紇，再收兩京，平定河南北，功無與比，竟然被人陷害，氣得不能吃飯不能睡覺，寫了一篇報告給代宗自訟。在這篇報告中，僕固懷恩憤憤不平道：

『我自己平靜下來想一想，發現自己有六大罪，第一，以前同羅叛亂，臣爲先帝掃清河曲；第二，我的兒子曾被同羅所殺，逃歸之後，臣斬之；第三，臣有二女，遠嫁外夷，爲國和親，蕩平寇敵；第四，臣與男瑒不顧死亡，爲國効命；第五，河北新附節度使握強兵，臣撫綏之；第六，臣說諭回紇赴急難，平天下後，送之歸國。臣既負六罪，誠合萬誅，惟當吞恨九泉，銜冤千古，復何訴哉！』

僕固懷恩口中說的六大罪，其實是他引以爲傲的六大功績，他故意說反話，表示心中的冤屈。

唐代宗得書之後，派裴遵慶去調查實況。僕固懷恩見到裴遵慶抱著他的脚放聲大哭，號泣訴冤，可是當裴遵慶要僕固入京，他又不敢去，惟恐到京中又被宦官陷害。於是君臣之間，大生猜忌。

其實，僕固懷恩對唐朝的忠心應無可懷疑，當時顏眞卿曾說：『認爲僕固懷恩造反的，只有辛雲京、李抱玉、駱奉仙、魚朝恩四人而已，朝臣都認爲他是冤枉的。』偏偏駱、魚都是代宗信任的宦官。於是僕固懷恩被逼得在廣德二年誘引北方的回紇與西方的吐蕃大舉入寇，不料行至中途，暴病而死，餘衆爲郭子儀平服。

唐人周智光說：『僕固懷恩豈有反狀，皆由爾鼠輩（指宦官）作福作威，懼死不敢入朝。』可見宦官眞是害人不淺，人人自危。

【第320篇】

段秀實執法嚴明。

中國古代傳統社會特別重視人文精神，因此法治精神往往被忽略。但是，仍然有不少官吏執法嚴明，譬如現在我們要講的段秀實。

段秀實，隴州人氏，父親段行深，官做到洮州司馬。段秀實小時候非常孝順，在六歲那年，母親生病，他小小年紀就懂得伺候湯藥。等到長大以後，個性益發沉著，善於判斷。

唐代宗廣德年間，段秀實擔任涇州刺史，附近邠州（陝西邠縣）有郭晞統率的部隊在防守吐蕃。郭晞是郭子儀第三個兒子，善於騎射，常從父出征，立下汗馬功勞。

郭子儀歷經玄宗肅宗代宗德宗四個朝代，身繫國家安危達二十餘年，是唐代中葉一位非常的人物。他本人虛懷若谷，可是他的一些部隊卻不免趾高氣昂，郭晞從父親手中接過這批沙場老將，完全駕馭不住。節度使白孝德眼看郭晞手下士卒貪暴的情形，礙著郭晞是郭子儀的兒子，敢怒不敢言，束手無措。

段秀實跑去找白孝德，對白孝德說：『假使是我當軍候，絕不會發生這種情形。』白孝德看段秀實自以爲有辦法的神情，立刻任命他爲都虞候；都虞候的職責是督察軍中不法之事，權力很大。

廣德二年一月中，郭晞手下十七個軍士犯了酒癮，一塊來到酒店。由於酒店老闆不肯免費招待，不但一脚踢壞了酒器，更用利刃一劍刺入老闆的喉頸之中。在郭晞軍營之中，這是一件很普通的事。

段秀實卻不容許士兵隨便欺負老百姓。他率領士卒，把鬧事的十七個軍士的腦袋割了下來，挑在長槊之頂端，然後，掛在大門上面。

百姓們看到平日爲非作歹的郭晞軍士遭此處罰，奔走相告，十分興奮。郭晞的軍營之中大譁，簡直吵翻了天。

節度使白孝德命段秀實整頓軍紀，可是看到這個光景卻又慌了。他把段秀實找來問：『現在郭晞軍營之中，個個盡擐鎧甲，準備作亂，怎麼辦？』

『沒什麼關係，我去解釋一下也就是了。』段秀實不疾不舒地回答道。

白孝德要段秀實帶幾十個人一塊兒去，免得發生不測。段秀實不肯，只選了一名跛腳的老兵同行。

到了郭晞軍營門外，軍士們穿著鎧甲圍了出來，一個一個眼露兇光。段秀實微微一笑，緩緩地說：『殺我一個老卒，何必戴什麼鎧甲，我頂著我的頭來了，你們可以動手。』

郭晞的軍士本來要與段秀實好好較量一番，看看他有多大本事，竟然干涉他們所作所爲。可是段秀實來這一著，又只帶了一個老兵前來，如果要動手，顯得自己太不堪了，因此大夥楞在那兒，不知如何應付。

段秀實乘機說道：『常侍（郭晞）對不起各位嗎？副元帥（郭子儀）對不起各位嗎？爲什麼你們要搗亂敗毀郭家的功業呢？』

正在此時，郭晞走了出來，段秀實也毫不客氣地指責他：『副元帥勳蓋天地，今天你縱容士卒爲暴，是對不起你父親。如此郭家功名，還能存有多少呢？』

段秀實還沒說完，郭晞已經慚愧地下拜道：謝謝你教訓的大道理，如此恩重，豈敢不從命！』說著，怒叱左右把鎧甲脫下，各自解散，誰要是再吵吵鬧鬧，立刻處死。從此以後，軍士們行爲收斂，邠州號令嚴一，軍府安泰。

大曆元年，段秀實擔任四鎮、北庭、邠寧都虞候，馬璘是邠寧節度使。軍中有個士卒，能拉兩百四十斤的弓，被視爲奇才。這個大力士素行不端，犯了竊盜之罪，馬璘捨不得處罰。段秀實說：『在軍中有愛憎之別，法令不一，就是古代大將韓信、白起復生，也沒法子帶兵的。』馬璘只有忍痛把大力士殺了。

馬璘處理事務若是不合理，段秀實一定與他力爭到底。馬璘有時氣得渾身戰慄，段秀實還是堅持己見，且說：『秀實罪若可殺，你何必發怒？若是你無罪殺人，恐怕是不合道理。』馬璘氣得拂衣而起，兩人不歡而散。過了一會兒，馬璘又擺酒向段秀實賠罪。從此馬璘一切依法辦理，邠寧一帶社會安定太平。

後來，馬璘奉皇帝命令遷徙涇州，他手下的兵士不願意移到涇州，牢騷甚多。其中有位刀斧兵馬使王童之見人心動搖，想要作亂。

有人密報段秀實：『王童之準備作亂，約定天快亮時更夫打鼓爲信號。』在古代沒有鐘錶，晚上用打更計時，一夜分為五更，所謂三更半夜也。

段秀實把更夫找來，臭罵了一頓，怪他打更打不準，以後『每更快盡時，一定要來報告』。因為每次打更之前得先稟報，如此一延誤，四更過後就天亮了，當然亂事也起不來了。

第二天，又有人密報：『今晚將焚馬草，趁救火時起事。』到了半夜，果然火光熊熊。他下令軍中：『救火者死。』王童之居外營，請求入內救火，段秀實不肯。到了天亮且把王童之及其黨羽一起問斬，於是軍隊安安穩穩遷到涇州。

段秀實軍令簡約，有威嚴，也給部下恩惠。自奉清儉，家無姬妾，如果不是正式宴會，從不飲酒聽樂。因為他律己甚嚴，旁人無法威脅利誘，所以他才能執法嚴明，發揮法治精神。

閱讀心得

【第321篇】

藍臉盧杞。

從安史之亂以後，唐朝一蹶不振。討平安史之亂是在唐代宗廣德元年。代宗之後，德宗即位，頗想振衰起弊，整飭綱紀。

唐德宗即位之初，任用崔祐甫爲相，十分英明。他做了三件事，極得後代史家好評：第一、他放出大批宮女（代宗時徵選入宮），使她們得與家人團聚。第二、命令各個節度使必須遵守中央號令。第三、禁止宦官出使時向百姓榨財。這些措施使得當時人誇德宗有貞觀之風。

但是，當德宗改用盧杞爲相後，一切就改觀了。

盧杞是舊相盧懷愼的孫子。他的父親盧奕，在天寶末年爲東臺御史中丞，洛陽城被安禄山攻下之時，盧奕壯烈成仁。盧杞有此門蔭，一會兒就爬到刑部員外郎的高位。

盧杞長得十分醜陋，最奇怪的是臉色青青藍藍的，人們初見了他，都以爲見了鬼。他穿衣吃飯全不考究，甚且不恥惡衣糲食。人們都説他有先祖盧懷愼之清廉遺風，卻不知道這小子心懷奸詐。

建中（唐德宗的年號）初年，盧杞被命爲御史中丞。當時郭子儀生了病，盧杞帶了一點小禮物去看望。郭子儀是四朝元老，功業彪炳，去看望病情的當然很多。通常，百官前來，郭子儀從來不要姬妾們迴避，這是因

西山白雪三
南浦清江
海內風塵
天涯涕淚一身遙

爲唐朝婦女比較開放，也出外見客；不像到了宋朝之後，婦女只能躲在閨房之中繡花，不准拋頭露面。可是，當郭子儀聽到盧杞前來，立刻把侍妾們全趕到後面去，只留下他自己一個人與盧杞談話。

當盧杞走了之後，家裏的人就問郭子儀爲什麼這麼做。郭子儀說：『盧杞外貌醜陋而心地險惡，婦人們看到他那張藍臉，一定忍不住笑了出來。假如有一天，這個人得權，就會找你們報復了。』

畢竟薑是老的辣，閱人多矣的郭子儀，一下就看出了盧杞的盧山眞面目。然而德宗不察，盧杞利用皇上的猜疑之心，挑撥德宗與臣子們的感情。

盧杞很討厭太子太師顏眞卿的正直，想把他趕出京城。顏眞卿對盧杞說：『你不要這個樣子。想你父親的屍體在天寶十四年載運到平原時，我捨不得用衣角拭去他臉上的血，用舌頭把血舔了個乾淨。今天，你竟然這樣容不下我嗎？』

盧杞聽了此話，立刻瞿然站起，向顏眞卿下拜，可是心裏頭對顏眞卿用對他父親有恩來教訓他，反感透頂。後來，果然想了一條毒計陷害顏眞卿，關於這一段，下回再詳細說。

唐德宗任命盧杞爲宰相，唐朝的宰相不止一個，盧杞知道唐德宗一定會再立一個宰相。他恐怕再找一個會分他的權，於是他自己先推薦吏部侍郎關播儒雅厚重，要關播擔任中書侍郎同平章事（宰相）。

雖然多了一個關播，所有政事還是取決於盧杞，關播對任何事都不表示意見。

有一天，唐德宗與宰相論事，關播認爲這件事有所不可，站起來想開口，盧杞立刻用目光狠狠制止他。關播無可奈何，又坐了下來。下朝之後，回到政事堂，盧杞寒著臉對關播說：『我看足下端謹少言，方才引足下任宰相，剛才你爲什麼張開口好像要講話？』關播從此以後，只有啞巴當到底了。

中書侍郎楊炎（就是租庸調法稅制崩潰之後，提出兩稅法的宰相楊炎）很看不起盧杞，認爲盧杞瘦瘦小小又沒有能力，無才無德。因爲唐朝的高官大半由進士科出身，先由禮部考詩文，及第爲出身，還要經過吏部考試後才任用。身言書判，『身』是體貌豐偉，相貌堂堂。『言』是言詞辯正，口才要好。『書』講究楷法遒美，字要寫得漂亮。『判』是文理優長就是要會判案子。因為古代行政司法不分，地方官就是法官。盧杞身言書判都不行，既沒有學問，又長了一張討人厭的藍臉。楊炎見了盧杞就噁心，胃口倒盡，所以每次都託以疾病，不肯與盧杞共食。盧杞又想了辦法，把楊炎害死。

另外還有一個人叫張鎰，忠正有才，德宗對他很信任，也是盧杞的眼中釘，他也想了一個法子害張鎰。

張鎰有一個好朋友鄭詹，每次當盧杞午睡時，就跑到張鎰的辦公室聊天。

有一回，盧杞故意睡熟了，等著鄭詹來，過了一會兒，鄭詹來了，正與張鎰談得很開心，盧杞翻身而起，跑到張鎰的辦公室中，鄭詹當然馬上躲到布幔後面。

盧杞一口氣滔滔不絕談了許多朝廷的秘密大事，說了半天才停下來，張鎰說：『鄭詹在此。』

『喔！』盧杞故作驚訝：『剛才我們說的話，可不能被任何人聽到啊。』這時，鄭詹正牽涉到一個司法案件之中，於是，盧杞便以恐怕鄭詹洩密爲藉口，命審判的官員處了鄭詹死刑，而張鎰也就罷相職，天下人都爲之扼腕。

盧杞又贊成趙贊建議的間架稅，使得百姓恨之入骨。古往今來的房屋稅都是一棟一棟的房子計算，可是間架稅是算屋上的樑架爲標準。每屋有兩架爲一間，上屋稅錢兩千，中屋一千，下屋五百。誰敢藏匿一間屋，打六十棍，出首告密者賞五十緡錢，因此愁怨之聲，處處可聞。

盧杞作惡多端，果然，不久釀成禍事。其實，一個人的美醜是天生的，外表好看，未必心地善良；同樣的，長得難看的，不一定有內在美，盧杞就是一個例子。

【第322篇】

顏眞卿至死不屈。

在上一篇之中，我們說到唐德宗用藍臉盧杞爲宰相，又採用苛刻的間架稅，使得百姓們叫苦連天。

同時，有幾個節度使又正鬧得兇，節度乃節制調度也，任務是防守邊疆重鎭。當安史之亂平定以後，唐朝政府爲了息事寧人，接受僕固懷恩的建議，將安史降將，分別拜爲節度使；其中以幽州、魏博、成德、淄青節度使最爲麻煩，稱之爲四鎭之亂。

四鎮之亂尚未平定，淮西節度使李希烈又在造反，李希烈自稱爲天下都元帥。都是總的意思，唐朝人喜歡用這個字，如果是今天的總經理就該稱爲都經理了。

建中四年，李希烈向汝州進攻，當時汝州別駕是李元平。李元平本是湖南判官，薄有才藝，性情粗疏驕傲，喜歡講大話、論兵事。盧杞看他志向大，有將相之才，命他掌管汝州。

李元平好大喜功，到任第一件事就召募工匠修城門。李希烈立刻挑了幾百個兵卒當壯士，混入應募的行列之中，統統都錄取了。

然後，李希烈再派數百軍隊進攻，裏應外合一下子把唐朝兵隊打垮了，而且活捉李元平。

李元平長得乾乾瘦瘦，像個小不點，而且連鬍子也沒有。一見到李希烈，緊張極了，竟然當場尿了出來。

李希烈捏著鼻子，指著滿地尿液道：『這個瞎眼的宰相盧杞，竟然派你這種角色來抵擋我，未免太不把我李希烈看在眼裏了。』

攻下汝州之後，李希烈派兵四處搶奪掠劫。百姓們大爲震撼，紛紛竄匿山谷之中。

李希烈起事的消息傳到京師，德宗大爲震恐，把盧杞找來問話。盧杞眼珠子一轉，心生一計：『希烈年輕驍勇，恃功傲慢，一般將佐沒有人敢諫阻。假使能用儒雅重臣，宣揚皇上之聖澤，向他陳述逆順禍福的道理，希烈必然革心悔過，可以不用軍旅弭平亂事。』

如果能夠不用一兵一卒而平定戰亂，當然是一件好事，何況唐朝自從安史之亂之後一直積弱不振。德宗問：『派什麼人去才合適？』盧杞馬上接口道：『顏眞卿爲三朝舊臣，忠勇正直，剛毅果決，名重海內，人所信服，是最恰當的人選。』在上一篇之中我們說過，顏眞卿的正直，向來是盧杞所嫉恨的；尤其顏眞卿曾經用舌頭把盧杞父親臉上的血舔掉，對盧家有恩，益發讓盧杞心裏不痛快。因此，特別想了這條毒計，陷害顏眞卿。

當顏眞卿前往許州宣慰李希烈的詔令一下，整個朝廷的官員都變了臉色。因爲李希烈以血腥殘忍出名，斷斷不可能被任何人所感動，顏眞卿此去是必死無疑。

汧國公李勉聽到這個消息，密上一個表，請求德宗收回成命，要求他不要派顏眞卿前往，以爲『失一元老爲國家羞』。可是，德宗不答應。顏眞卿接到命令，毫不猶豫地啓程，前往東都洛陽。河南尹鄭叔則勸他道：『此去一定被害，何不暫且留在這兒，等待新的命令。』顏眞卿卻一點也不畏懼地回答：『君命難違，我怎麼能夠因爲怕死而逃避。』他寫給兒子的書信（等於是遺書）中只是提到以後要好好掃祭家廟。

當顏眞卿到達許州，還沒有宣佈詔旨，李希烈已帶著一千多名養子圍著顏眞卿。口中罵著髒話，一個一個拿著刀，比劃著要把顏眞卿的肉割下來，再細細地切碎的模樣。顏眞卿卻是動也不動，臉上也平靜地若無其事。

李希烈看這老頭子神色不動，知道威脅不了他，決定先軟禁起來再說。

由於李希烈起兵聲勢最強，所以魏博等四鎮節度使都派人來拜見李希烈，上表稱臣；並且說：『朝廷誅滅功臣，失信天下，都統（指李希烈）英武自天，應早稱帝號，使四海臣民，知有所歸。』

李希烈十分得意，把顏眞卿召來，對他說：『你看，如今四王意見不謀而合。』

『呸，什麼四王，只是四兇。你不自保功業，爲唐忠臣，反而與亂臣賊子一塊同歸於盡嗎？』顏眞卿好好的訓了李希烈一頓。

李希烈聽了相當不悅，過了幾天，又把顏眞卿扶出來與魏博等四鎮的使者見面。四使見了顏眞卿緩緩一齊下拜道：『久聞太師德高望重，今天都統將稱帝，莫不是老天特別要你當都統的宰相嗎？』

『胡說！』顏眞卿怒叱道：『什麼宰相，你們知道罵安祿山而死的顏杲卿嗎？他是我的哥哥；我今年都八十了，知道守節而死，那裏會受你們的威脅利誘？』

四個使者挨了罵，不敢再多言。李希烈派了十個衛士，日夜監視顏眞卿，而且在庭院中挖土，揚言要活埋他。顏眞卿哈哈一笑，撚著白鬍子道：『死生天定，何必多此一舉。只要借我一把劍，不久即了你一件心事。』

由於顏眞卿始終不肯投降，而且說服了李希烈的部下反叛。最後，李希烈派人用繩索勒死了他。

唐代大書法家柳公權曾說心正則筆正。顏眞卿一生忠君愛國，守正不與其兄長阿。在朝四十多年來，不斷受小人排擠，最後又死在叛將之手，顏杲卿互相輝映，光芒萬丈。

閱讀心得

【第323篇】涇原兵變。

在上一篇〈顏眞卿至死不屈〉之中，我們說到，唐德宗時代，若干跋扈藩鎭起來作亂，宰相盧杞倒行逆施，不得人心。淮西節度使李希烈自稱爲天下都元帥，盧杞建議德宗，派顏眞卿去勸服李希烈。結果，白白犧牲一條元老重臣之命。李希烈的亂事愈演愈烈……。

建中四年十月，德宗下詔涇原節度使姚令言帶領五千兵馬前去討伐李希烈，涇原軍隊一路東行，經過京師長安。這時，長安的氣候已入冬季，軍士們一路上忍受天氣酷寒，又累又餓捱到了首都長安城。滿心以為會得到皇帝一筆豐厚的賞賜，不料到達之後，竟然一無所得，萬分地失望。

當五千人馬到了長安以東的滻水之時，德宗下令京兆尹王翃犒師。士兵們心想，沒有賞賜，痛快打一場牙祭也好，一路上風風雨雨，也實在需要些好酒好菜祭一祭五臟廟。

誰知端上來的既不是山珍海味，也沒有大魚大肉，只有一些粗餅及發餿的飯菜，而且有一股難聞的酸腐味道撲鼻而來。大夥正在飢腸轆轆，不由怒氣沖天，一腳踢翻送來的食物，而且用力地在上面踏來踏去，這下子連爛東西都沒得吃了，更加地燃起憤怒之火。

這時候，不知道是誰脫口說出：『我們都是要死於敵手的，竟然還不

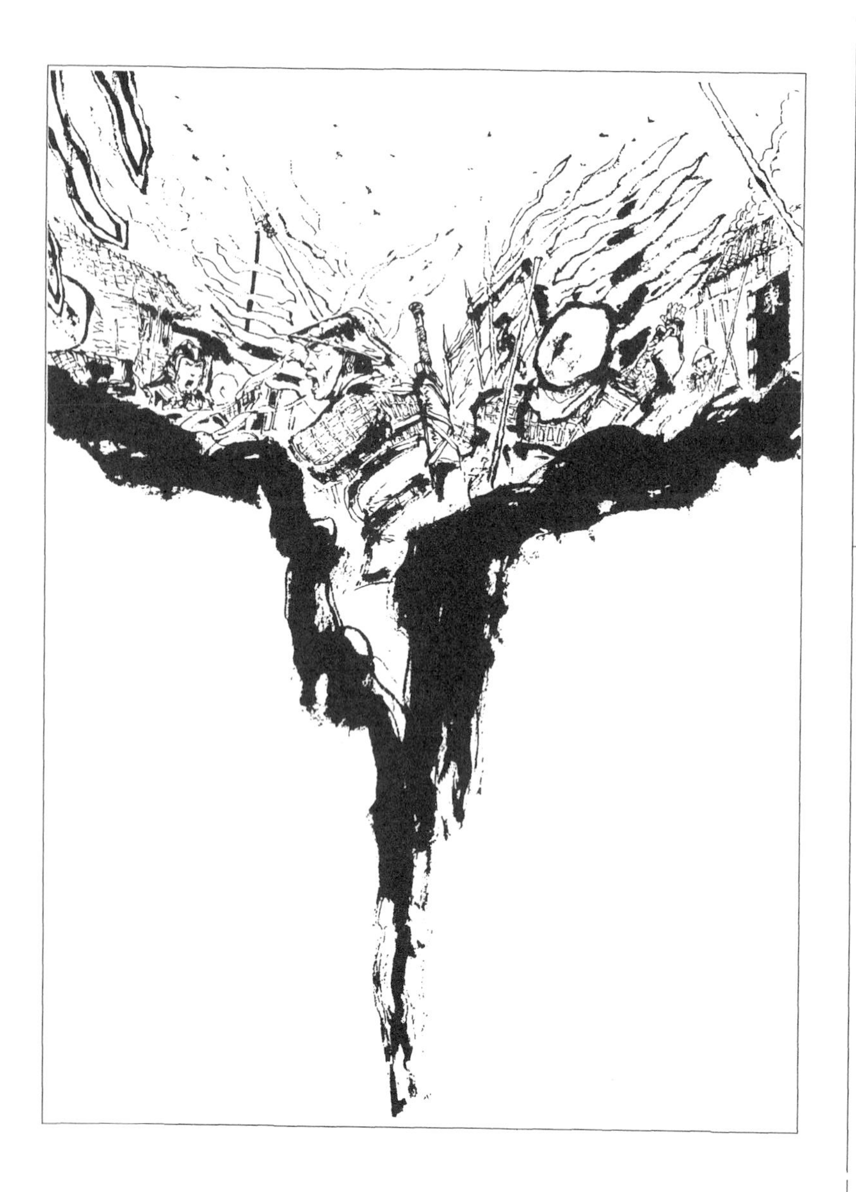

給大夥好好吃一頓，怎麼去拚命啊？我聽說皇宮裏面瓊林、大盈二庫之中，金帛滿得都要溢出來了，咱還不如到那兒去取一些。』說著，這一羣人像發瘋似的，拿著鎧甲，舉著大旗叫叫嚷嚷，一路鼓譟，直往京師。

涇原節度使姚令言此時正在宮中拜見德宗，不知道外面出了這麼大的亂子。他接到消息之後，立刻奔上快馬出城阻止，這那兒阻止得了呢？亂兵們紛紛用箭射向姚令言，姚令言嚇得抱著馬鬃突入亂兵，大聲喊叫著：『你們錯了，我們此去東征討伐李希烈立功，何患不得富貴，這樣亂搞是要殺頭滅族的啊。』

軍士們根本不聽姚令言的話，扶持著他敲鑼打鼓到了京城。德宗慌了手腳，命令宦官去安撫亂兵，答應一人賜兩匹帛。亂兵們看到皇帝窩囊又小氣，更加地不滿，一箭射中了前來傳達聖旨的宦官。德宗趕緊再運出二十車金帛，還是難以平息亂軍的憤怒。

不一會兒，大軍已喧聲浩浩開入長安城，老百姓嚇得狼狽逃走。亂兵卻大呼道：『不要怕，不要怕，以後你們不必再出間架稅了。』間架稅是一種以樑多少計數的稅收，相當苛刻，引起人們普遍之不滿（詳見上篇）。

既然亂兵這麼說，老百姓也不怕了，丹鳳門外擠來了數以萬計看熱鬧的小民。唐德宗急得冒冷汗，叫了半天『來人，來人』卻沒有一個衛兵前來護駕。這是怎麼一回事？

原來，負責守衛京師和皇宮的神策軍使白志貞在搞鬼。他掌管一切召募之事，凡是禁兵（神策兵，也就是中央軍）東征死亡者，他一概隱瞞，然後接受城中富人賄賂，把富人的名字補上去。這些富人名字在軍籍上，可以領糧餉，受國家的給賜，可是人卻端坐在長安城中開商店作買賣。

如此荒唐的事當然會出紕漏，執法嚴明的段秀實就曾上書皇帝：『禁兵不精，每軍人數都有欠缺，萬一碰上患難，該如何是好？』

果然這場亂事不幸而言中，唐德宗匆匆忙忙與王貴妃、韋淑妃、太子諸王及唐安公主從苑北門逃出宮外，至於證明皇帝身分的傳國璽則由王貴妃繫在衣著之內。

正要離開宮門之際，姜公輔在德宗的馬前下拜道：『朱泚曾經爲涇原節度使，因爲他弟弟朱滔作亂，被皇帝軟禁在京師之中，心中怏怏難平。

臣以爲陛下若是不能信任他，不如把他殺掉，免得涇原亂兵奉他爲主，那就麻煩大了。』

唐德宗狠狠地瞪了姜公輔一眼，怒叱道：『現在是逃難，保命要緊，那兒顧得到這些？』

當賊兵殺入皇宮，東找西找，找不到皇帝，高興得跳起來歡呼：『天子逃走了，我們可以自求富貴。』看到的就往懷裏揣，一直到完全拿不動了，兩隻手還是捨不得地再抓一把，入得寶山豈可空手而回？

不但涇原兵在大肆搜掠，宮外看熱鬧的老百姓也湧了進來搶東西，整個晚上熱鬧非凡，興奮地要命。有一些擠不進皇宮的，就站在外頭等，等著全身裝滿金銀財寶的傢伙，來一個黑吃黑。總而言之，裏裏外外亂成一團糟。

姚令言與亂兵們商量：『眾人無主，不能持久。如今朱太尉閒居私第，我們不如擁護他出來爲主。』一呼百諾，眾人擁向朱太尉私第。

朱太尉乃朱泚，原來是涇原節度使。他的弟弟朱滔是幽州節度使，公開反叛朝廷，曾派人要求朱泚一塊起事，在半途之中，使者及書信被查獲了。唐德宗看在朱泚先不知情的份上，饒過朱泚，卻把朱泚留在長安。賜給他漂亮的花園，豐厚的田產，表面上對他客客氣氣，事實上是被看管起來了。

朱泚被軟禁，心中當然不樂意；如今涇原兵變，找他出來帶頭，正中下懷滿口答應。

這個時候，唐德宗早就已經出奔到了奉天，有人說：『朱泚為亂兵所立，即將前來攻城，宜早修守備。』宰相盧杞還在為他辯護：『朱泚忠貞，羣臣莫及，臣請以身家百口性命保證他不會造反。』如此昏庸的皇帝，再加上如此顢頇的宰相，涇原兵變乃是遲早之事也，士兵們的牙祭沒有打成只是導火線罷了。

閱讀心得

【第324篇】

李懷光打草驚蛇。

淮西節度使李希烈叛變，唐德宗召涇原兵增援。涇原兵冒著風寒趕到京師，竟然連一頓牙祭都沒討著，一怒之下，譁然造反。唐德宗倉皇逃難，涇原兵洗掠皇宮，共擁朱泚爲主，在長安稱帝……。

朱泚稱帝以後，即刻率兵攻德宗，把奉天城包圍起來。奉天雖然沒有被攻下，城裏頭卻是一點兒糧食也沒有了。唐德宗想派一位健卒到城外一窺虛實，這位健卒縮成一團，跪了下來，懇求德宗：『天氣實在太冷了，請陛下賜給一件襦袴。』

襦袴就是小背心，在京城裏要多少有多少，可是逃難在外，找了半天，竟然連一件背心都沒有。

此時正是農曆十一月，不但缺乏禦寒的冬衣，也沒有食物。就是皇上的御食，也僅是粗糲二斛。只有當敵人休息之時，趁著夜晚摸黑，偷偷地把一個人縋下城外，摘一些野菜供給皇帝御膳食。

唐德宗捧著粗米，望著野菜，食不下嚥，淚流滿面道：『朕之不德，自陷危亡，公輩無罪，應該早日投降以救室家。』羣臣聽了都低下頭來，痛哭流涕，表示願盡死力。所以將士們雖然困窘危急，還是士氣高昂。

我們再回頭說朱泚，當朱泚攻奉天之初，他謊稱是前往迎接鑾駕，眞

是說得好聽，然後派遣韓旻領馬步三千疾趨奉天。朱泚看上了段秀實，他心想，段秀實曾經當過涇原節度使，頗得士兵愛戴，後來卻被削奪兵權，一定心懷憤恨，願意與其爲謀。

段秀實表面答應了，暗地裏卻使了一招，他造了一個假兵符，命令韓旻不要去攻奉天，先回來再說。韓旻回來了，把朱泚嚇了一跳，他卻不知道是段秀實的計謀。可是段秀實是個血性漢子，竟然自己暴露出來了。

原來有一天朱泚與段秀實談到稱帝之事，段秀實忍不住了，勃然而起，一把搶走了朱泚手上的象笏（是古時天子及大臣用來書寫記事用的手版。大家注意看古裝片，凡是上朝之時，臣子手上都有一塊），拿著象笏猛敲朱泚的腦袋，而且噴了一口唾沫到朱泚臉上，大聲罵著：『狂賊，我恨不得把你碎屍萬段，那裏會跟著你去造反？』說著，死命地用象笏猛擊朱泚的臉。

朱泚額頭開始冒血，濺灑了一地，他二人扭打在一起。朱泚的手下趕緊前來幫忙，朱泚得以低下身來匍匐而逃。段秀實知道事情不成，大聲嚷道：『我不與你造反，你爲什麼不把我殺了？』

他這麼一說，朱泚的同黨立刻前來撲殺。朱泚一手承著額頭上流下來的鮮血，一手著急地亂搖道：『他是義士，不要殺，不要殺。』可是已經來不及，段秀實已在血泊之中，壯烈成仁。這時，東南西北如野火燎原亂成一片，造成了藩鎮之亂的一個最高潮。

在此千鈞一髮之際，有人建議請朔方節度使李懷光前來保駕。李懷光原是靺鞨人，本姓茹，他的父親有戰功，被唐朝賜姓爲李。性情勇猛，善於作戰，郭子儀對他十分賞識。

李懷光接到命令之後，爲著表現忠心耿耿，立刻籌募軍資，連夜趕路，大敗朱泚於醴泉，又派大將張韶到奉天報告德宗。張韶到了城外，大呼：『朔方軍使也。』城內的官兵用繩索把張韶拉了上去，張韶已身中數十箭。當時唐德宗在奉天城中，正急得坐立不安，聽說張韶來了，鄭重宣佈李懷光援軍到，人心大爲振奮。朱泚惟恐腹背受敵，暫且先退兵長安。

李懷光性情粗豪，一向痛恨宰相盧杞弄權誤國。當他這一路前來之際，碰到人就說：『天下之亂，皆此輩也，我見到聖上，一定請求聖上把這些庸臣殺光……。』

等到李懷光屢建奇功，他更慷慨激昂道：『今懷光新立大功，上必然開誠佈公，詢問臣之意見。我就剛好可以稟報聖上，宰相盧杞乖違正道，賦斂繁重大失民心，看盧杞還有什麼話說！』

李懷光這番話很快傳入盧杞耳中，盧杞心中萬分恐懼。此時當然不便在德宗面前數說李懷光的不是，但又要如何阻止李懷光向德宗報告？

陰險的盧杞眼珠子一轉，心生一計，他從從容容地對唐德宗說：『李懷光的動業，功高無比，社稷賴之，賊徒為之破膽。如果命令他乘勝收復長安，則可以一舉而下，如破竹之勢也。如果今日請他進奉天城，必當賜慶功宴，這一連幾天慶功宴下來，賊人得以從容入長安防備。那個時候，想要再收復長安恐怕就不容易了啊！』

唐德宗聽了盧杞的分析，覺得頗有道理，他也急著重返長安城。於是下令李懷光指日攻取長安，不必到奉天來見皇帝。

李懷光數千里竭誠赴難，大破朱泚，勇解重圍，近在咫尺，卻不得朝見皇帝。滿以爲唐德宗見了面有重賞，滿以爲可以爲天下除去奸臣盧杞，如今都落了空。心灰意懶，失望地對人說：『我現在已爲奸臣所排擠，天下大事可以知矣。』

後來，李懷光因爲擔心盧杞會加害於他，帶兵反叛，最後兵敗被殺。李懷光若是沉得住氣，不先到處嚷嚷，打草驚蛇，又何至於有此下場？可見得人往往因爲多言誤事。

閱讀心得

【第325篇】陸贄才思敏捷。

李懷光想要爲國除惡，去掉盧杞，卻因爲多言誤事，反而被盧杞利用。李懷光爲求自保，一怒之下，起兵造反。

這時，不但有李懷光之亂，朱泚盤據長安，李希烈又攻下汴州，聲勢猖獗。唐德宗眞是一籌莫展，不斷在長長地嘆氣：『這是天命啊！這眞是天命啊！』

翰林學士陸贄不以爲然道：

『兵連禍結，賦斂日重，是以叛亂繼起！』

他不同意德宗歸之於天命的說法。

陸贄是何許人也，竟敢如此頂撞德宗？他乃蘇州人氏，是個孤兒。十八歲時登進士第，以精通儒學、文章寫得好著名，曾任監察御史。唐德宗在東宮爲太子時，素聞陸贄大名，召他爲翰林學士。

建中四年，涇原兵變，陸贄隨德宗逃難到了奉天。兵荒馬亂之際，皇帝一天要下幾百則詔書，這些詔令都是由陸贄起草。他拿起筆來，思如泉湧，一會兒工夫就寫好了。

在旁人看來，陸贄好像沒有多加思慮；可是寫完之後，拿來一看，寫得清清楚楚，面面俱到，因此同事們對他佩服萬分。

陸贄建議唐德宗：『陛下應該痛自悔過以感人心。』德宗答應了，陸

贄便爲德宗起草詔書：『朕長於深宮之中，居安忘危，不知稼穡之艱難，不恤征戍之勞苦……天譴於上而朕不知，人怨於下，而朕不寤……其所加除陌錢、稅間架一律停罷……。』

這篇歷史上有名的罪己詔，寫得充滿感情，讓人們覺得德宗是誠誠懇懇要改過。因此詔書一下，武夫悍卒爲之感動得流淚；王武俊、田悅、李納等都自動取消王號上表謝罪，可見得文章威力之大。

這段逃難在外的日子裏，德宗對陸贄十二萬分的信任。雖然有宰相，但德宗處理大大小小的事，必與陸贄商量，親熱地稱呼他爲『陸九』。無論走到那兒都要帶著他，當時的人們稱陸贄爲『內相』。

有一回逃到梁洋，由於棧道危狹，德宗與陸贄走失了。當天夜晚，唐德宗居住在次山館之中，找不到陸贄，在又驚又憂的情形下，竟然哭了起來。然後下令：『得陸贄者賞千金。』

後來過了許久，陸贄來了，德宗破涕爲笑，太子等人都來相賀。既然皇帝如此信任有加，陸贄是個耿直的人，凡是見到不對的一概直言無隱，忠言直諫。朋友們勸陸贄不要太嚴峻，因爲唐德宗不是唐太宗，沒有納諫的雅量。譬如說，藍臉盧杞搞得天下大亂，德宗還在問大臣：『衆人皆論杞惡，爲何朕不知？』李懷光叛變，大事不妙，德宗才不得不把盧杞貶了官，心中還是偏愛盧杞。陸贄又一天到晚在批評盧杞姦邪致亂，德宗頗爲反感。陸贄不予理會，他說：『吾上不負天子，下不負吾所學，不恤其他。』他自認爲對得起皇帝，對得起先聖先賢遺留下來的學問道德，其他的就不在考慮之列。

後來，李晟等人收復了長安。德宗回到京師，益發覺得陸贄雖然忠心耿耿，卻也說話太過逆耳，令人討厭，日漸加以疏遠。而且德宗許多作為，陸贄都有意見。

譬如說，除了日常賦稅之外，德宗不夠開支，鼓勵臣下孝敬，有所謂『日進』『月進』，每日孝敬或每月孝敬。凡是獲得官位與保持官位都要仰仗賄賂進奉，於是地方官公然大肆搜括。一方面『為皇帝而貪汙』，一方面可以中飽。搜括了三分，二分自己留著用，一分獻給皇上，可苦了老百姓。

另外還有宮市，也是虐待百姓的表現。

什麼是宮市呢？宮市就是宦官到市場上為宮中採買貨物。宦官先是強制購買貨物，價錢比原價低廉；到了後來，只隨便塞給商人一些染壞的破裂的絹帛。因此商人們遠遠地看到宦官來了，趕緊把一些比較好的貨品藏了起來；賣餅沽漿的小販，乾脆把攤子收了。

貞元（唐德宗的另一個年號，德宗在位共使用了三個年號：建中、興元、貞元）十三年十二月裏，有一個農夫用驢子負柴走過，被宦官看上了，叫他把柴送到宮裏去。

農夫自認倒楣，滿心不情願地把柴送去。宦官看上了那匹驢子，於是要農夫把驢帶入宮中。農夫著急地哭了起來，把剛剛用柴換來的絹還給宦官道：『柴送給你，絹我也不要了。』

宦官不肯收下絹，他霸道地說：『我要你的驢子。』

農夫氣壞了，跳起來指著宦官的鼻子道：『我有父母妻子，等著我賣柴回去養家活口。現在我把柴給你，又不要你的錢，你還不肯，我只有死路一條了。』說著揪住宦官的衣襟，就是一頓好打。街坊官吏趕過來，紛紛斥責宦官，給了農人十匹絹，可是宮市還是沒有更改。有人對德宗說『京師裏有一萬多家遊手好閒、無產無業者，都仰賴宮市過活。』德宗還以爲自己又有一大德政哩。

有一次，德宗穿著便服，扮成百姓，大搖大擺走進一個百姓趙光奇的家裏，十分得意地垂詢：『老百姓快樂吧？』

『不樂！』趙光奇率直地回答。

『噢，今歲收成豐稔，爲什麼不樂？』德宗大吃一驚，他似乎不明白自己在百姓眼中是個昏君。

宋人蘇東坡讚揚陸贄智慧比得上張良，文采超過張良。上格君心之非，下通天下之志，可惜生不逢時。如果德宗肯虛心納諫，可以在陸贄輔佐下再造貞觀之治。不過，話又說回來，陸贄明知德宗不是太宗，仍然爲天下百姓挺身直言，是了不起的中國知識份子。

閱讀心得

【第326篇】韓愈反對迎奉佛骨。

在唐朝中葉時代，當時文人承襲了自後漢、魏、晉、宋、齊、梁、陳、隋，八個朝代的風氣，寫文章講究詞藻豔麗，對仗工整，往往滿篇都是漂亮的形容詞，卻說不出一點兒道理。這種奢靡的文風，甚且影響到政治與社會風氣。於是有識之士，起來倡導文學的復古運動，其中最重要的人物便是韓愈。

韓愈，字退之，鄧州（今河南南陽）人。因爲他的家原先住在昌黎，所以他後來寫文章，常常自稱爲韓昌黎。韓愈童年時代命運悽慘，在三歲的時候父母就去世了，由堂兄韓會及堂嫂鄭氏撫養長大。韓會本來在朝廷中當起居舍人（史官），後來，宰相元載犯罪，韓會受到牽累，被貶到韶州。

十一歲的韓愈隨韓會到了韶州不久，韓會去世；嫂嫂鄭氏帶著一門孤寡，把韓會的屍體運回家鄉。鄭氏對韓愈非常慈愛，眞正做到長嫂若母。後來韓愈在寫鄭夫人文及祭十二郎文中，再三感激嫂嫂。許多人都說『讀出師表（諸葛亮所寫）不哭者爲不忠，讀祭十二郎文不哭者爲不孝』。韓愈自己也相當爭氣，從小刻苦勵學，從來不需要人家催促。他發憤研讀儒家書籍，精通六經與百家之學。在廿五歲時，韓愈考取了進士，當時慧眼識英雄的主考官，就是我們在前面介紹的陸贄。

在前面〈藍臉盧杞〉之中，我們說過，唐朝任官制度中規定，在禮部考試通過之後，只是取得一個任用資格；想要做官，還得通過吏部的考選，用身言書判的標準予以考核。韓愈一連考了三年，年年名落孫山；他失望極了，只好出任宣武節度使董晉的幕僚。

在唐順宗永貞年間，韓愈因爲寫了一篇〈進學解〉的文章，被宰相看到，大爲欣賞，官位逐漸升高。到了唐憲宗元和四年，正式奉召擔任國子博士。

到了元和十四年，韓愈出了一件大事：

當時的皇帝唐憲宗，是位虔誠的佛教徒。長安西邊鳳翔府法門寺的護國眞身塔藏有一節釋迦牟尼的指骨，相傳這節指骨非常吉祥，靈驗得不得了。眞身塔每三十年開一次，迎奉佛骨供養，必能年豐民安。

元和十四年正是滿三十年的大日子，唐憲宗鄭重其事，命令中使帶了三十位宮人，拿著香花，前往迎奉佛骨。先在宮中供養三天，再送往長安各個寺廟之中輪流供養。

皇帝既然如此虔誠，一般王公士庶更加熱中。於是長安城中，老少奔波，放下工作，頂禮膜拜。有的解衣散錢、捐獻寺廟，也有的用火灼頭燒臂，表示比別人心誠，要求供養佛骨。從早到晚，人人爲此忙個不停，簡直到了走火入魔的程度。

韓愈當時在刑部擔任侍郎。他認爲這種情勢演變下去，一定有人把手臂砍斷，把肉切碎，表示捨身事佛。這足以傷風敗俗，而且使百姓廢業破產。

於是韓愈寫了一篇論佛骨表上奏給憲宗皇帝，說明佛之不可信，他說：

『佛教是夷狄的宗教，中國上古未曾有此，當時天下太平，百姓長壽。到後漢明帝時才有佛教，其後亂亡相繼，國運年壽都不長久。梁武帝在位四十八年，三度捨身於佛，其後竟爲侯景所逼，餓死臺城。』

接著請求：

『把佛骨交給主管官吏，付之水火，永絕根本。如果佛骨有靈，能作禍祟，一切災殃，由臣承擔，上天鑒福，絕不反悔。』

唐憲宗看了這篇露骨激烈的上表，氣得牙齒格格作響，立刻要把韓愈處死。

宰相裴度為韓愈說情：『韓愈若非內懷忠懇，不懼貶責，那能如此？伏請稍加寬容。』

憲宗仍然氣得臉色發青，生氣的說：『韓愈說我奉佛太過，尚可容忍，至於說東漢奉佛之後，帝王都早死，未免太荒謬了。愈為人臣，如此狂妄，固不可赦。』說的也是，韓愈簡直在詛咒憲宗既然信佛就等著早死。

後來，皇親國戚都為韓愈求情，才改為貶做潮州（廣東潮安縣）刺史。

他到了潮州之後有幾件事值得稱道：

第一為民除鱷魚之害。潮州在唐朝還是一個落後地區，韓愈上任之後，詢問民間疾苦，人人都嘆：『有鱷魚出沒，吃光百姓家畜，苦不堪言。』韓愈前往視察，丟下豬一隻、羊一隻，並且寫了一篇文章警告鱷魚，果然鱷魚遠徙六十里。當然這不是文章的功能，鱷魚又不識字，而是韓愈帶領村民拿著毒矢，把鱷魚趕跑了。這就是文學史上著名的〈祭鱷魚文〉。

另外他又釋放奴婢、興辦學校，從此潮州地方文風大盛。

韓愈畢生最大的成就還是提倡文以載道。他主張文學是用來記載道理的，文學離開了倫理道德便沒有價值，離開了教化便失去功用。他反對六朝以來那種香豔色情的內容，主張文學與儒道合一。

韓愈的文章，大部分都是闡揚儒家仁、義、忠、恕的道理。他的文章也代表他的思想，他對思想上的主張十分執著，不惜挺身而出。所以宋朝的蘇東坡讚美韓愈『文起八代之衰，道濟天下之弱』。他不但是中國歷史上重要的文學家，也是有地位的思想家。

閱讀心得

【第327篇】

王叔文除宦官。

在前面〈陸贄才思敏捷〉之中，我們說過，唐朝中葉，宮市很遭百姓痛恨。宮市就是宦官出去買東西，強取豪奪。有時不但不給錢，還要討『門戶錢』『腳價銀』（即搬運費），使人民大為反感。

唐德宗不知道宮市擾民；然而，德宗的太子後來繼位，即唐順宗卻常常聽伴太子讀書的侍讀談起。

有一天，大家正羣情激憤提到宮市的強行霸道，太子毅然的表示：『我要是見到皇上，一定要詳詳細細稟報這件事。』

『對啊，應該讓皇上知道。』大夥都點頭附和，只有一位王叔文，緊緊地閉著嘴，滿臉不以爲然的神態。這位王叔文，山陰人氏，知書達禮，因爲擅長下棋，時常在東宮陪著太子下兩子。

等到衆人都告退以後，太子把王叔文留下，問道：『剛才談到宮市一事，你爲什麼沉默無言，是不是有什麼意見？』

『叔文蒙太子的寵幸，如果有所意見，怎敢不稟報。只是，太子的職責只是向皇上問安，不應該多言外事；尤其皇上在位日久，如果懷疑太子收買人心，太子如何解釋？』

太子一聽此言，直冒冷汗；因德宗已在位二十多年，萬一有小人離間，

說是太子等不及要當皇帝了，那可是一件危險的事。太子因此感激地拉住王叔文的手用力搖著：『若不是先生，我絕對想不到這一點。』

從此以後，太子對王叔文是徹底的信任，王叔文時常對太子說：『某人可當宰相，某人可當大將，殿下將來可以重用。』他又密結當代知名之士如劉禹錫、柳宗元等人。

太子身體很壞，不久，就中風癱瘓在床上。唐德宗永貞元年正月，諸王親戚都來賀新年，只有太子因爲中風不能行動，不能前來。唐德宗因爲傷心過度，也一下生了重病，拖了二十多天，一命歸天。太子即位，是爲順宗。

老皇帝剛剛過世，新皇帝又中了風，這可怎麼得了？順宗知道人情憂疑，勉強披麻戴孝，支撐孱弱的身體出九仙門。人們看到皇上天顏，方才安下心來。

當順宗在太極殿正式即位時，還有衛士心裏頭存著疑心，踮起腳來，伸長脖子，想要看個清楚；等到確定的確是順宗，忍不住喜極而泣。

順宗雖然抱病登基，圓滿地完成典禮。事實上，他的病情已經相當地嚴重，喉頭瘖啞不能作聲，也沒有辦法決斷公事，只有深居簾帷之中，由妃子牛美人照顧著。一切政事由牛美人把皇帝的意旨告訴宦官李忠言，再由李忠言授交王叔文，然後王叔文與柳宗元等裁定。

從此，王叔文當年領導的『影子內閣』正式實現了。韋執誼做了宰相，當年密結的一批同志也都入了閣。他們做了不少改革的事，例如取消了民間搜括給皇帝的『月進』錢（詳見〈陸贄才思敏捷〉一篇），放宮女回家，減免刑期，取消宮市……但是他也有一些同黨品德不佳，例如王伾，專門貪汙納賄，定製了一個特大號的櫃子貯藏這些骯髒的金帛，到了晚上，怕遭小偷，夫婦倆就睡在大櫃子上面。

王叔文知道要鞏固地位，第一步要先奪兵權，而兵權掌握在宦官之手。

唐德宗在涇原兵變時，出奔奉天避難，一路上吃盡千辛萬苦。此時，在危顛顛的棧道上保護他的是宦官，千方百計弄一碗熱湯來爲他解飢的也是宦官。因此，唐德宗認爲，一般王公大臣都是自私自利，只有宦官能夠患難與共。

所以，當德宗返回京師後，便將神策軍的指揮權交到宦官之手。

王叔文等痛恨宦官危害朝政，於是派遣范希朝擔任京西神策軍使。開始之時，宦官還沒有醒悟這是針對他們來的，等到邊境的將領紛紛向左右神策護軍中尉辭別，而且說，以後將由范希朝統屬，宦官才恍然大悟兵柄被王叔文所奪。氣焰囂張的宦官們勃然大怒：『如果王叔文的計謀得逞，我等必死於他手。』

於是，一些個老宦官如俱文珍等，祕密地派人對諸將領提出警告：『不准把兵隊交給他人。』

果然，當范希朝到達奉天，諸將領懾於宦官的威勢，沒有一個理會范希朝。范希朝急忙請示王叔文，王叔文也只有兩手一攤：『我也無可奈何。』

王叔文的改革受到了重大阻礙。過了不久，更壞的消息傳來，王叔文的母親病危，王叔文不得不在這個緊要關頭趕回家去侍奉湯藥。過了沒兩天，王母去世了。根據中國傳統，父母去世，要辭官在家守孝，王叔文的母親生了沉重的病，正好在政爭激烈的當頭歸天。王叔文這一丁憂（父母之喪稱爲丁憂），所有改革當然也就擱置。

宦官們正好利用這個機會，以唐順宗中風爲名，逼著順宗退位，迎立太子李純即位，是爲唐憲宗。大權又落入宦官之手，王叔文想利用宦官打倒宦官的計謀徹底失敗。王叔文被賜死，劉禹錫被貶爲朗州司馬，柳宗元被貶爲永州司馬；一共有八人被降爲司馬，他們都是著名的文人，歷史上稱之爲八司馬事件。

當王叔文知道順宗被逼讓位時，只有長嘆一聲『出師未捷身先死，長使英雄淚滿襟』，這是杜甫題諸葛亮祠堂詩末句。王叔文也許稱不上英雄，但是他想去除宦官，卻是唐朝士大夫的一致願望。

閱讀心得

【第328篇】

柳宗元的寓言故事。

在〈王叔文除宦官〉之中，我們說到，王叔文想除宦官不成，被賜死。王叔文的同黨也一一被貶，其中包括兩個大文學家，柳宗元與劉禹錫，下面就是柳宗元的故事。

柳宗元，字子厚，唐朝河東（今山西）人，生於唐代宗大曆年間。小時候就異常精敏，十七歲中進士，二十九歲做到監察御史。

他才氣過人，爲官清廉；討論事情時善於旁徵博引古今故事，經書、史書及諸子百家之言都能隨時順口而出；每次開會時，雄辯滔滔，震懾全場，名氣非常響亮。當時朝中王公大臣，都想要把他羅致到門下，以與他交往爲榮。

唐順宗即位，王叔文積極謀求改革，柳宗元擔任禮部員外郎的重要職務。因此，王叔文失敗，柳宗元也難逃一劫，被貶爲邵州（今湖南寶慶縣）刺史；走到一半，又被貶爲永州（今湖南零陵縣）司馬。

永州地方偏僻，靠近廣東，柳宗元在永州一住十年，更加刻苦勵學，博覽羣籍。當地山水風景甚佳，他遊山玩水歸來，寫下不少留傳千古的遊記。

在憲宗元和年間，柳宗元與王叔文的同黨們一塊被召回京都，卻又再

次被貶。他當時被貶到柳州，又是一個窮山惡水的地方，柳宗元自己不以爲意，倒是擔心劉禹錫被放逐到播州。

劉禹錫也是人們熟悉的唐朝大詩人，他所寫的〈烏衣巷〉膾炙人口——朱雀橋邊野草花，烏衣巷口夕陽斜，舊時王謝堂前燕，飛入尋常百姓家。（形容從前王導與謝安住過的朱雀橋畔，只剩下一片野草雜花。那烏衣巷口，只見夕陽斜掛，王家謝家堂間的燕子，如今已飛到一般百姓家中。把富豪之家淪落的情景描寫得異常生動。）

言歸正傳，柳宗元聽說劉禹錫被逐播州後，難過得哭了起來：『播州根本不是人住的地方，而夢得（劉禹錫）卻有高堂老母，我實在不忍心他離開老母，也沒有叫他老母跟著去受苦的道理。』

於是，夠義氣的柳宗元上書朝廷：『請准許用臣的柳州來調換劉禹錫的播州，我即使因此而獲重罪被處死亦在所不惜。』

幸虧，此時已有裴度（裴度的故事下次再詳細說）向憲宗說情，劉禹錫被改爲連州刺史。柳宗元這種爲朋友兩肋插刀，義氣千秋的高風，值得我們效法。

柳州是今天廣西省馬平縣，比永州更加荒僻。他看到滿目荒痍，倒是挺有信心道：『誰說這兒就不能推行善政？』說著，他便開始推行教化，改善當地風俗。原來，柳州有一種很壞的習俗：往往用子女做爲向人借錢的抵押品，錢還不出來，子女只有被債主沒收爲奴婢，有違人倫之常。

柳宗元爲改革惡習，命令雙方訂立僱傭契約，當傭金與本金相等時，貸主應該無條件把人質放回。如此，一年之內，被釋放而回家團聚的子女竟達一千多人。

柳宗元是唐宋八大家之一，在唐代與韓愈並稱，文章各有千秋。他擅長考訂、遊記；此外，能寫很好的寓言。寓言，在周秦時代最爲發達，但在漢代之後，寫得最好的可說是柳宗元了。下面我們講一個柳宗元的寓言故事——

〈捕蛇者說〉：永州地方出產一種特異的毒蛇，黑底白紋，毒性甚強，草木一碰到馬上枯死，如果蛇咬了人，無藥可救。然而，如果捉到毒蛇，風乾做爲藥餌，可以治癒痲瘋、手足拳曲與惡性腫瘡，而且可以去腐生肌。因此御醫在永州搜購毒蛇，每年進貢兩次。凡捕到毒蛇者免繳田賦，於是永州之人爭先恐後去捕捉。

有一個姓蔣的人，他家三代都以捕蛇爲業，我問他捕蛇的情形，他說：『我祖父死於捕蛇，我父親死於捕蛇，我也有好幾次險些送命。』這時，捕蛇者臉上抹過一臉黯然。

我很同情他，對他說：『我去告訴地方官，給你換一樣工作可好？』

蔣氏聽了，眼淚汪汪：『你是在可憐我嗎？如果我不捕蛇，境況會更慘。我家三代居住在此，已有六十年了。他們呼號轉徙，餓渴困頓，觸風雨，犯寒暑，努力耕種，仍然不得活命。以前和我祖父一塊住在這兒的人，現在十家之中剩不到一家；以前和我父親同住的，十家之中沒有兩三家了。他們不是死亡，就是遷往他地，只有我因爲捕蛇，還能在此生存。那些個悍吏差役，來到我們家鄉，東西叫囂，南北騷擾，大家都害怕得不得了，嚇得雞飛狗跳。只有我，慢慢地爬起床，看看瓦罐裏的毒蛇還活著，大可以放心地回去睡大覺。只要小心飼養著毒蛇，到時候呈獻上去，回來以後，安安穩穩頤養天年。一年冒著兩次生命危險，其餘的時間，安安樂樂，比起我的農人鄰居，天天擔心害怕要好得太多了。我即使捕蛇而死，也沒有什麼可抱怨了。』

我聽了蔣氏的話，心中愈加悲痛。孔子曾說：『苛政猛於虎。』以前很懷疑這句話，現在我相信田賦稅收之毒眞比毒蛇還要可怕。

在前面〈涇原兵變〉一篇中，我們曾說過唐朝中葉之後，政治敗壞，賦稅繁重。讀了柳宗元的〈捕蛇者說〉，有更深一層的認識。

閱讀心得

【第329篇】
裴度仗義執言。

在上一篇〈柳宗元的寓言故事〉之中，我們說到，當柳宗元被放逐到柳州時，他不擔心自己的安危，卻顧慮到好友劉禹錫被貶播州，因而上書皇帝，請准用自己的柳州交換播州，因爲播州比柳州更加荒涼。後來，由於裴度挺身而出，使得劉禹錫改遷爲連州刺史，現在我們就要說裴度的故事。

裴度，字中立，唐德宗貞元年間進士及第。他學問很好，而且有一身俠骨。

憲宗元和年間，一般老百姓除了畏懼宦官之外，最害怕五坊小兒。什麼叫五坊？五坊指的是鵰坊、鶻坊、鷂坊、鷹坊及狗坊。顧名思義，可以知道這是皇宮內養兇悍鷹犬的地方。由於這是皇帝遊樂的場所，管理五坊的小兒也自然而然抖了起來（小兒不是小孩子，是管理五坊的工人），不可一世，老百姓視之如寇盜。

有的時候，五坊小兒會打開一張網，放在老百姓的家門口以及水井旁。當人們要出來打水時，五坊小兒立刻粗聲粗氣地喝斥：『回去，回去，要是把我的鳥雀嚇著了，不敢飛來，看你該當何罪？』

一個人怎麼可能不出門？又怎麼可能不打水？古時候又沒有自來水。

於是，只有乖乖地孝敬五坊小兒，客客氣氣把這一批兇神惡煞請走。

又有的時候，一羣五坊小兒互相吆喝去上館子，叫最貴的菜，喝上好的酒。酒醉飯飽之後，非但不付錢，大模大樣留上一籠毒蛇，鄭重其事對店主人說：『這些蛇是我用來供養鳥雀的，你要好好地養著，不要讓蛇餓了或是渴了。』

店主看看那籠毒蛇，一條一條都在蠕動著，嘴中吐出長長的舌頭，一對蛇眼怒目而視，看著實在怕人。萬一店中擺上這麼一籠，還有客人敢上門嗎？於是，又只有塞給厚厚的紅包，把五坊小兒打發走。

有一回，五坊小兒到了下邽縣，這個縣的縣令裴寰性情嚴刻，痛恨五坊小兒的兇暴；因此對他們一切秉公處理，完全不來曲意奉承那一套。五坊小兒受此大辱，一狀告到唐憲宗那兒去。

唐憲宗也頗爲生氣，把裴寰逮捕入獄，安他一個『大不敬』的罪名。後來裴度爲裴寰說情：『按罪，裴寰是應該受罰，但他如此愛惜陛下的百姓，豈可加罪？』中國古代認爲老百姓全都是天子的子民，憲宗想想有理，也就把裴寰給放了。

在元和十二年時，有一個商人張陟欠了五坊使楊朝汶的一筆利息錢，躲了起來。楊朝汶不甘心受損失，帶了一批人到張家去搜，搜出一本帳簿，上面寫著盧載初欠了張陟不少錢。

有人對楊朝汶說，這個盧載初，其實就是前任西川節度使盧坦。楊朝汶一聽，不由分說，立刻往盧家索錢。而盧坦已經死了，父債子還，反正逃不掉。楊朝汶把盧家大大小小全都綑綁起來，盧坦的兒子不敢反抗，最後花錢消災了事。

後來，仔細一核對，方才發現盧載初並不是盧坦，而是前任鄭滑節度使盧羣的化名。盧坦的兒子愈想愈不甘心，去找楊朝汶理論。

楊朝汶把臉一擺，冷冷回答：『錢已入帳，怎麼可能再還給你？』

這件事被御史中丞及諫官知道，上書憲宗，陳述楊朝汶橫暴的情形。

唐憲宗想要包庇楊朝汶，輕描淡寫的表示：『這沒什麼。』

裴度又再度挺身而出，唐憲宗故意轉變話題：『我正想與卿商量東軍大事，這件小事我自會處理。』

裴度不肯放鬆，緊逼道：『用兵乃小事也，五坊追捕老百姓乃大事也。

兵事不理，不過東方地區危急，五坊小使橫暴，卻會使百姓遭殃。』

唐憲宗聽了，頗爲不悅。過了一會，又省悟過來，把楊朝汶叫了進來，臭罵了一頓，並且說：『都是你，都是你害我剛才在宰相前面丟臉。』說著，命人把楊朝汶問斬。

在穆宗時代，裴度改任淮南節度使。有一個宦官劉承偕被穆宗派去監軍，欺負昭義節度使劉悟。劉悟的手下看不過去，羣情激憤，把劉承偕的手下殺掉了兩個。劉悟趕快把劉承偕關到牢裏，免得他被殺，卻也不放他回京裏去。

唐穆宗問裴度：『劉悟把劉承偕關了起來，如何處置？』

『臣如今是藩臣，不是宰相，不宜議論軍國事。』裴度不肯發表意見。

唐穆宗不滿地發牢騷：『劉悟眞對不起我。我給他僕射的官做，最近又賜他五萬疋，他不報答，反而把我的監軍關起來，我實在難奈此事。』裴度接著說：『劉承偕在軍中不守法，人盡皆知。劉悟曾寫信給我，告訴我這件事。』

『我都不知道啊，劉悟爲何不密奏我，我豈會不處理？』

『劉悟是一武臣，不明體例。然而今天臣面奏，陛下聽到了也未能決斷，又怎麼能怪劉悟不上奏？』裴度絲毫不客氣的追問穆宗。

最後穆宗嘆一口氣：『我也不是捨不得劉承偕，只是他是太后的養子，你看怎麼辦？』於是，穆宗聽從裴度的意見，把作惡的劉承偕發配邊疆。裴度仗義直言，敢作敢當，我們這個社會太需要裴度這種正直之士。

閱讀心得

【第330篇】

裴度的氈帽。

在前面〈王叔文除宦官〉之中，我們說到，唐順宗因爲中風不能臨朝。宦官們利用這個機會，迎立太子即位，是爲唐憲宗。

憲宗以二十九歲英年即位，有意整頓綱紀，銳意圖治。他與宰相杜黃裳討論到藩鎮的問題，杜黃裳認爲，這是唐德宗中葉以後的姑息之禍，唐憲宗也深以爲然，決定積極討伐叛逆。

其中，淮西節度使向來是朝廷方面頭痛的人物。元和九年時，淮西節度使吳元濟行爲跋扈，性情暴戾，還時常發兵四處擄掠。唐憲宗決定對淮西用兵。

首先，唐憲宗在元和十年，下令削吳元濟的官職。吳元濟著急了，向成德節度使王承宗、平盧淄青節度使李師道請援。王承宗、李師道連合數次上表，請求憲宗赦免吳元濟之罪，唐憲宗不肯答應。

李師道見朝廷沒有意思恢復吳元濟的官爵，很擔心下一個就輪到自己被整。於是，派遣兩千人前往壽州，表面上是協助官軍討伐吳元濟，事實上準備暗中支援吳元濟。

李師道家中豢養了十幾個刺客，每一個都領著巨額高薪。其中有一個人對李師道說：『用兵之急，第一就要有充足的糧食，如今河陰地方聚集

大批糧草，不如先找人把糧草燒個乾淨，然後再募集東都幾百個惡少，叫他們去劫都市，焚宮闕。如此一來，朝廷雞犬不寧，也就沒有辦法對付咱們了。』

『這個主意倒是挺不錯的。』李師道立刻著手進行，派出一批嘍囉攻入河陰轉運院，殺傷十幾個人，又燒掉三十多萬緡匹布，兩萬斛糧草。許多大臣都上書憲宗，請求罷兵，可是憲宗仍然決定貫徹始終。

李師道這一著計謀沒有成功，又有一位刺客獻上新主意：『天子之所以銳意對付蔡州（淮西節度使的治所在蔡州），都是因爲宰相武元衡掌管兵事，一心一意想要平定藩鎮。假如我們派一個人去刺殺武元衡，武元衡一死，繼位的宰相一定不敢再堅持用兵，羣臣也一定會爭相勸諫皇上罷兵。』

李師道聽完了話，立刻拿出一筆優厚的酬金，交到刺客手中。

剛好這時王承宗又派人去爲吳元濟遊說。此人一到中書省，出言不遜，宰相武元衡把他趕了出去。

元和十年六月裏，有一天清晨，武元衡正要上朝，剛剛走出他所住的靖安坊石門，忽然有一個賊人在暗中射箭，武元衡的侍從嚇得作鳥獸散。此時，那賊人衝出，牽著武元衡乘坐的馬，拉到暗處，把武元衡殺了，而且，還把他的頭顱砍了下來。

賊人殺掉了武元衡，又來找裴度。一箭射中裴度的腦袋，裴度翻滾掉入水溝中。六月裏，天氣不算冷，也不知爲什麼裴度戴了一頂厚厚的呢氈帽，這頂厚帽成爲裴度的安全帽，使他免於一死。

賊人一看裴度還活著，正衝向前，準備再補上一箭。忽然，裴度的僕人王義從後面竄出，死命地抱住賊人不放，而且大聲呼喊：『不得了，不得了，有刺客！』

那個賊人心一慌，拔腿想跑，偏偏王義使出了吃奶的勁兒，說什麼也不肯放手。最後賊人用刀把王義的手臂砍掉，倉皇而逃。

堂堂宰相竟然當街被刺殺，這還了得。頃刻之間，消息傳遍了京師，個個惶駭不安。朝廷趕快加派金吾衛士（左右金吾衛是官名，其職掌是負責宮中及京城晝夜巡警），各個主要的城門加強巡邏，而且箭都上了弦，如臨大敵。凡是進出城門者，無不喝叱停下，展開嚴密的搜索。

第二天，朝臣們上朝時都戰戰兢兢，甚且躲在家裏，不敢外出。唐憲宗上朝，發現殿上只疏疏落落站了幾排人，等了半天，班列間的官吏，還沒有到齊。

賊人又張狂地寄了三封信給金吾衛、京兆府及兩赤縣，上面恐嚇道：『不要急著逮捕我，否則我先殺掉你。』所以衛士們也怕了，不敢積極搜捕。

兵部侍郎許孟容上書皇帝：『自古沒有宰相橫屍路邊，而竟然朝廷不能逮捕強盜，這簡直是國家的恥辱。』許孟容又上書，要求起用裴度爲宰相，表明朝廷絕不屈服之決心。

唐憲宗表現的也十分果斷，下詔捕賊人，而且懸賞錢萬緡，並賜五品高官。同時宣佈，有誰敢藏匿賊，誅滅全族。

於是，展開大規模的京城搜捕行動，凡是公卿大夫家中有複壁夾屋的，都一一予以搜查。

裴度雖免於一死，卻也受了傷，在床上躺了二十多天。有些臣子建議，請求罷免裴度的官職，免得激怒賊人。不如暫時妥協、包容，坐下來談判、溝通，避免造成雙方太過尖銳的對立。

唐憲宗氣得破口大罵：『如果罷裴度的官職，等於賊人奸謀得逞，還有沒有綱紀可言？我要用裴度！』隨即發表裴度爲中書侍郎同平章事。

裴度雖然險些送命，卻愈挫愈勇，上書皇帝：『淮西心腹之疾，不得不除，兩河藩鎮跋扈者，將以此事看朝廷的態度，決定是恭順還是叛變。』

唐憲宗深以爲然，把所有兵事交給裴度處理。

閱讀心得

第331篇

李愬善用降將。

淮西節度使吳元濟不服朝廷命令，唐憲宗決定用兵討伐。淄青節度使李師道爲幫助吳元濟，竟然派出刺客，殺掉了宰相武元衡，裴度戴了一頂厚氈帽，大難不死。唐憲宗爲著表明不屈服的決心，毅然起用裴度爲相，並且全面通緝刺客。

後來，果然被唐憲宗逮到了刺客，予以問斬，同時積極的展開對淮西用兵。以裴度主持討賊軍事，李愬擔任大將，李愬是討伐朱泚大將李晟之子。

李愬擅長騎射，而且極有謀略。元和十一年，唐憲宗一連用了高霞寓與袁滋兩名大將都徒勞無功。李愬上書皇帝，自請出征，眞所謂虎父無犬子。

他不但勇敢善戰，而且待人誠懇，完全沒有世家子弟的驕奢。上任之後，第一件事是解散優伶樂隊，停止宴樂，士卒受傷了，他一定親往撫慰。過了沒有多久，贏得上上下下一致的愛戴。

李愬一出征，馬上就有輝煌的戰功。他生擒丁士良，丁士良是吳元濟手下一名大將，是唐朝政府頂傷腦筋的驍將之一。李愬的將士們都要求剖開丁士良的心臟。

李愬客客氣氣把丁士良請入上座，丁士良也誠懇地對李愬道：『吳秀琳擁有三千精兵，牢牢守住文城柵，所以唐朝官軍不敢越雷池一步，你不如先招降吳秀琳。』

於是，李愬照著丁士良的話去做，吳秀琳也答應投降了。可是，唐朝刺史派兵前往文城柵時，卻遭到猛烈的攻擊，城中扔出大石如雨。大家都說：『糟了，這小子詐降。』李愬卻很有信心地說：『吳秀琳是在等我。』果然，當李愬到了城下，吳秀琳立刻收兵，乖乖地下馬。李愬拍拍吳秀琳的肩膀表示嘉許慰勞之意，不費一兵一卒，李愬又贏得一次勝利。

總而言之，李愬每次抓到降卒，總是親切的問長問短，曉以大義；降卒受到感動，也都願意和盤托出。這麼一來，城中虛實、險易，李愬摸得一清二楚，知己知彼，攻無不克。

某日，吳秀琳對李愬說：『你欲取蔡州，非李祐不可，秀琳對此，無能爲力。』

李祐，乃淮西驍將，有謀略、會打仗。作風狠毒，經常打敗官軍，也可說是官軍的剋星。

元和十二年五月，李祐帶著手下在張柴村割麥子。李愬認爲這是一個不可多得的好機會，他對一個將領說：『帶著三百個騎兵躲在樹林裏，然後揮揚旗幟，裝作要燒麥子的樣子。李祐一向看不起唐朝軍隊，一定會單槍匹馬跑過來算帳，我就能生擒李祐了。』

這條計畫相當成功。李祐遠遠見到唐軍要燒他辛辛苦苦割下的麥穗，怒火沖天追了過來，中了埋伏，李祐被活捉。

將士們看見李祐，恨得眼睛裏直冒火花，一致要求把李祐宰了，以洩心頭之恨。李愬不肯，不僅沒有五花大綁，反而待之以上賓之禮，請他享用最好的佳餚美酒。

不但如此，李愬爲了商量攻蔡州的謀略，更時時與李祐單獨密談。一直到三更半夜，還在咬著耳根說悄悄話，神祕兮兮。

其他將領看在眼中，眞不是滋味。時間一久，謠言紛起；都說是李愬這小子沒安好心眼，準備投降，李祐正是吳元濟派來的間諜。

謠言愈傳愈廣，到了最後，李愬不能不擔心皇上也誤信謠言。他拉著李祐的手，流著眼淚道：『難道是老天爺不希望平定亂賊嗎？爲何你我相知之深，卻無法敵過眾口之言。』

然後，李愬轉過頭來，對著大家說：『諸君既然都認定李祐有嫌疑，那我就把他交給皇上去處理。』說著，派人把李祐押解到京師。

暗地裏，李愬先祕密上了一個奏章給唐憲宗，說明將與李祐合襲蔡州的計畫，而且鄭重地聲明：『若殺祐，則無以成功。』

幸好唐憲宗是個明理的君主，立刻把李祐放回，送還給李愬。李愬高興地捏緊李祐的手，長嘆一聲：『你能保全性命，眞是國家社稷之福。』當晚，兩人抵足睡眠，有人在帳外偷聽，聽不見談話的內容，只聞李祐不斷傳出感激的哭泣聲。

不多時，李愬命令軍隊開拔，只知『往東行』，不知往何處。等到走了六十里，諸將前來請問，李愬才說：『入蔡州取吳元濟。』大家相顧失色，慘叫一聲：『完了，果然落入李祐奸計。』當時正是颳強風，下大雪，人凍僵了，馬也凍死不少，天空一片烏雲，連旌旗也一面面被颳裂了。從張柴村以下的道路，都是官軍們從來沒有走過的，人人都在心中打鼓，以爲一定要死在這兒了；可是，由於懼怕李愬，又不敢提出退兵的要求。

走了七十里，前面有一座鵝鴨池。李愬下令丟石頭，把一羣鵝鴨嚇得拍著翅膀，驚慌的叫嚷，這一叫嚷掩飾了李愬軍隊前進的聲音。

在天亮之前，李愬的軍隊在李祐的引導下，終於到達蔡州城，蔡州的守兵都躲到室內避寒睡覺了，根本沒發現唐兵已經進了城。不久，唐兵迅速活捉了所有蔡州的守兵，在蔡州城上換上了大唐帝國的旗幟，同時，唐兵包圍了吳元濟的住宅，準備生擒吳元濟。

由於足足有三十年之久，唐朝官兵沒有來過蔡州，所以吳元濟手下毫不戒備。有人告訴吳元濟：『官軍到了。』元濟還在睡大覺，笑著說：『這不過是牢中的俘虜出來搗蛋，明早把他殺了也就是了。』

又有人告訴吳元濟：『城陷了。』他還在說：『這必是河曲子弟向我求寒衣。』等到吳元濟明白是怎麼一回事的時候，已經太晚了。

李愬能用降將，降將也樂於爲他効死，因爲他本著一顆眞摯誠懇的心，感動了對方。如果他只是假惺惺，表一套，裏一套，時間久了，就會露出破綻。虛心持己，坦誠待人，證之史實是不會錯的。

閱讀心得

【第332篇】

唐憲宗喜食仙丹。

在中國古代，當皇帝是件最過癮的事，他手握無限權力，有享不盡的榮華富貴。但是皇帝還是有一件遺憾的事，人生百年，總是不免一死，要是可以長生不老，永遠做皇帝，那該有多好？秦始皇、漢武帝曾經動過這個腦筋，歷來的皇帝也常有找方士煉丹以求長生不死，譬如我們今天要講的唐憲宗。

說起來，在唐朝中期的皇帝之中，唐憲宗算是一位英主。他曾討伐叛逆，整飭綱紀，到了他晚年，他最感興趣的就是愛好神仙長生不老之術。元和十三年，唐憲宗下詔徵求天下方士。此時，鄂岳觀察使李道古由於貪汙事發，深恐獲罪，於是獻媚推薦山人柳泌，說是他能製長生不老之藥。唐憲宗很開心，下詔柳泌居住在興唐觀煉藥。

過了一個月，柳泌上書唐憲宗：『天臺山是神仙聚集之處，有許多靈草，臣雖然知道這件事，可惜無法採集仙草，十分可惜。要是我到那兒去當長史，就方便多了。』

唐憲宗急著服用長生不老之藥，立刻把柳泌任命為臺州刺史，並且賜服金紫（唐朝用朝服的顏色表示官位高低，金紫相當於三品高的官位）。諫官紛紛上奏，以為：『皇上喜愛方術之士無妨，沒有聽說過用方士來治理

道

人民的啊。』

『如果能夠煩勞一州之力，使得人主得以長生不老，你們這些臣子爲什麼不肯呢？』唐憲宗這麼一說，沒有一個臣子敢再開口。再說下去，好像臣子不但太小氣，而且居心不良，竟然希望天子早死。

柳泌到了臺州，驅使人民上山採藥，折騰了一年多，沒有煉出什麼仙丹。心裏十分害怕，舉家逃入深山之中，躲了起來。

所謂丹藥，成分多半是汞、鉛、砒霜等化學物質，其實這是中國古代的科學。科學是要公諸於世，互相研究的。中國人認爲祖傳祕方，不能洩漏，彼此不能互切互磋，一點點化學萌芽的種子也研究不出什麼道理。

汞是水銀，是有毒的物質，不能多吃；鉛也是一樣；砒霜更是毒物。

不過，如果少少食用一些，對身體沒有什麼大妨礙；尤其北方天寒地凍，京城西安相當冷冽，服用一點丹藥加速血液循環倒是好事。然而皇帝多半身體虛弱，禁不起如此冬令進補，難免血壓升高、心跳氣急、氣喘不停。

浙東觀察使把柳泌從深山之中捉了出來，送到京師。李道古等人仍然保護柳泌，唐憲宗也依舊對柳泌有信心，讓他待詔翰林。

唐憲宗吃多丹藥，日漸暴躁、焦渴、脾氣簡直壞透了。起居舍人裴潾上書皇帝，以爲：『除天下之害的君主，受天下之利，同天下之樂的君主，享天下之福，從黃帝到文帝武帝，享國壽考，都是這個道理。從去年以來，有許多人推薦方士，數目繁多。假使天下眞的有神仙，他一定隱藏在山谷之中，生怕被人們找著。凡是在權貴之門奔走，大言不慚，用奇特技術吸引羣衆者，都是心懷不軌茍利之徒。』

唐憲宗看到這兒，眉頭一皺，萬分不悅。勉強打起精神再看下去，『……藥物是用來治病的，豈是可以朝夕服用，何況金丹酷烈有毒，又容易生火氣，恐非人之五臟六腑所能承受。古時君主飲藥，必先命臣先嘗之；我認爲，應該讓獻藥者，先行服用一年丹藥，則眞僞自可辨也。』

『胡說！』唐憲宗氣得把奏章扭成一團，往地上一扔。拿起御筆，把裴潾貶爲江陵令。

由於唐憲宗天天服用金丹，火氣旺盛，首當其衝首先遭殃的當然是左右宦官。挨罵挨揍尚且不論，還一連好幾個宦官，被盛怒之下的憲宗處死，因此人人自危。

過了沒有多久，唐憲宗突然暴崩。當時的人都説是宦官陳弘志等人爲了自衛，把唐憲宗殺了。然而宮闈隱密，茲事曖昧，而宮中傳出的消息只説是皇帝藥性發作，到底如何，外人無法知道。

然而，歷來的史家都相信唐憲宗死於宦官之手的説法。因爲唐朝的宦官權勢膨脹，憲宗用宦官掌禁軍，皇宮的安全既然被宦官掌握，也就無所不爲了。特別是唐憲宗之後，唐穆宗僅在位四年。接著，唐敬宗即位，又發生一件事。

唐敬宗是個荒唐皇帝，貪圖享受，狎暱羣小，擅長於擊毬。這種運動，本書前面〈唐玄宗六兄弟共枕同眠〉之中，我們曾經介紹過。擊毬相當於英國人打馬球，這是唐朝貴族最喜愛的野外娛樂活動。

唐敬宗還歡喜角力，找了許多大力士來和他比劃，他更有一種奇怪的娛樂，半夜三更起來捕抓狐狸，宦官都被折磨慘了。犯個小過，動輒遭到一頓拳打腳踢，甚且處死。

寶曆二年冬天的一個夜晚，唐敬宗又雅興大發，深夜之中起來狩獵。盡興之後，返回皇宮，與宦官劉克明等人消夜飲酒。

喝得酒酣耳熱，唐敬宗入室更換比較薄的外衣。忽然之間，殿上燭光乍滅，就在此時，劉克明等把唐敬宗給殺了。

古裝片中常用明朝宦官錦衣衛爲主角，大作文章。其實，明朝宦官固然可怕，還不敢殺皇帝；唐朝的宦官廢君易帝，視同兒戲，還敢殺天子，才是眞正可怕。

閱讀心得

歷代・西元對照表

朝　　代	起迄時間
五帝	西元前2698年～西元前2184年
夏	西元前2183年～西元前1752年
商	西元前1751年～西元前1123年
西周	西元前1122年～西元前 771年
春秋戰國(東周)	西元前 770年～西元前 222年
秦	西元前 221年～西元前 207年
西漢	西元前 206年～西元 8年
新	西元 9年～西元 24年
東漢	西元 25年～西元 219年
魏(三國)	西元 220年～西元 264元
晉	西元 265年～西元 419年
南北朝	西元 420年～西元 588年
隋	西元 589年～西元 617年
唐	西元 618年～西元 906年
五代	西元 907年～西元 959年
北宋	西元 960年～西元 1126年
南宋	西元 1127年～西元 1276年
元	西元 1277年～西元 1367年
明	西元 1368年～西元 1643年
清	西元 1644年～西元 1911年
中華民國	西元 1912年

國家圖書館出版品預行編目資料

全新吳姐姐講歷史故事. 14. 唐代/吳涵碧 著.
--初版.--臺北市；皇冠，1995〔民84〕
面；公分（皇冠叢書；第2480種）
ISBN 978-957-33-1224-6 （平裝）
1. 中國歷史

610.9　　84006928

皇冠叢書第2480種
第十四集【唐代】
全新吳姐姐講歷史故事〔注音本〕

作　　者—吳涵碧
繪　　圖—劉建志
發 行 人—平雲
出版發行—皇冠文化出版有限公司
台北市敦化北路120巷50號
電話◎02-27168888
郵撥帳號◎15261516號
皇冠出版社(香港)有限公司
香港銅鑼灣道180號百樂商業中心
19字樓1903室
電話◎2529-1778　傳真◎2527-0904
印　　務—林佳燕
校　　對—皇冠校對組
著作完成日期—1992年01月01日
香港發行日期—1995年09月25日
初版一刷日期—1995年10月01日
初版二十九刷日期—2021年05月
法律顧問—王惠光律師

讀者服務傳真專線◎02-27150507
電腦編號◎350014
ISBN◎978-957-33-1224-6
Printed in Taiwan
本書定價◎新台幣150元/港幣45元